その犬の名を誰も知らない

著 嘉悦 洋
監修 北村泰一

一九六八年二月、南極。

日本南極観測隊の昭和基地近くで、一頭のカラフト犬の遺体が発見された。

この情報は、一般に知らされなかった。

半世紀たった現在も、封印されている。

その犬の名を誰も知らない　目次

第二章 越冬

（一九五七年二月〜一二月）

第三章 絶望
（一九五七年一二月～一九五九年三月）

第四章 検証（二〇一九年）

第五章 解明（二〇一九年）

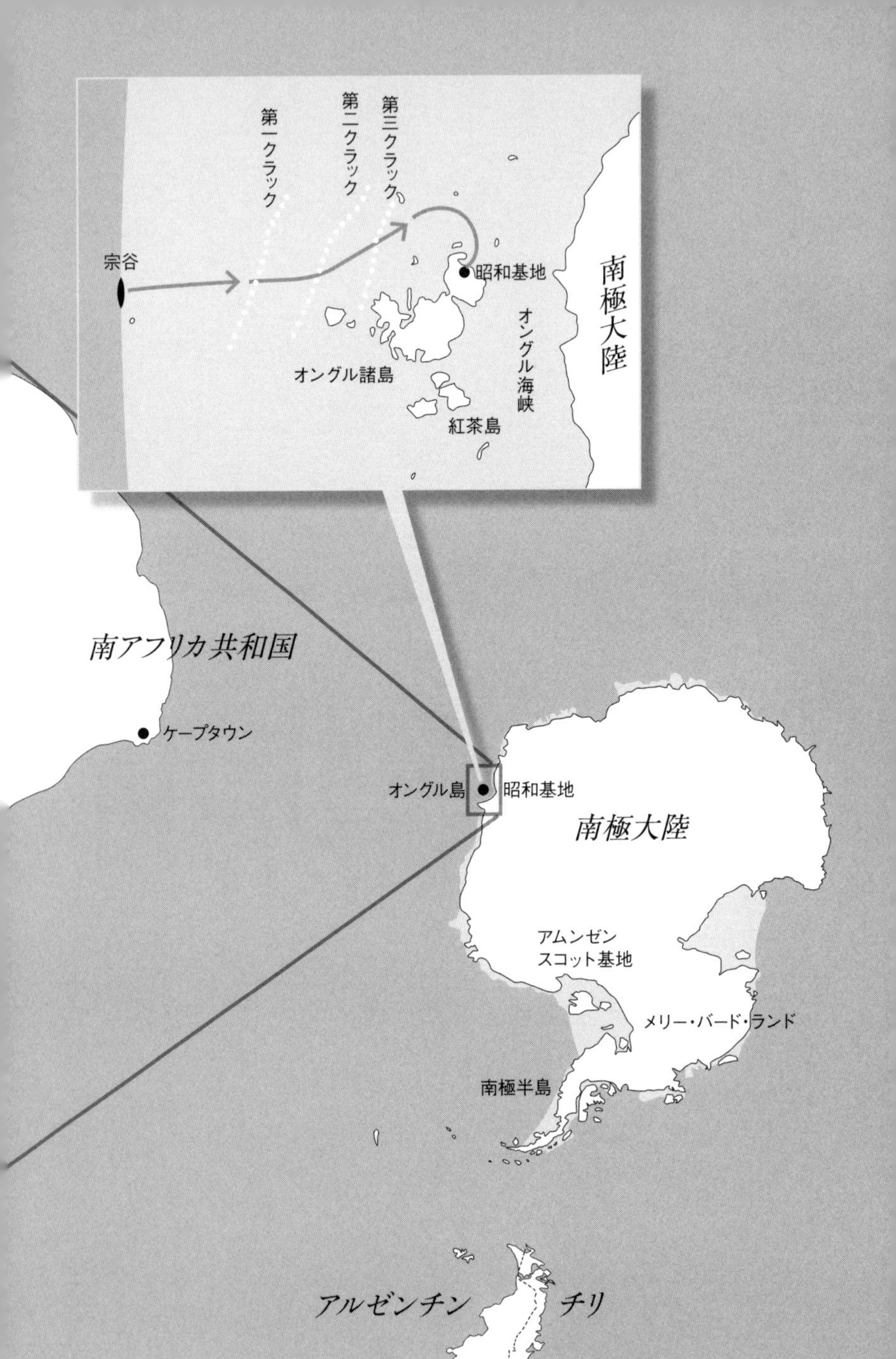

第一クラック
第二クラック
第三クラック
宗谷
昭和基地
南極大陸
オングル海峡
オングル諸島
紅茶島
南アフリカ共和国
ケープタウン
オングル島
昭和基地
南極大陸
アムンゼン
スコット基地
メリー・バード・ランド
南極半島
アルゼンチン
チリ

南極大陸
日の出岬
二号岩
碁盤目岩
問題岩
ダルマ岩
屏風岩
オメガ岬
美保ヶ岬
（明るい岬）
プリンス・オラフ海岸
金魚岩
タマ岬
タマ氷河
ピンボケ岩
第一露岩
剣氷山
昭和基地
オングル島
長頭山
（ラングホブデ）
ルンパ島
ユートレ島
ラングホブデ氷河
リュツオ・ホルム湾
カエル島
（バッダ島）
円丘氷山群
クジラ岬
スカーレン氷河
四つ目岩
白瀬氷河
プリンス・ハラルド海岸
南極大陸
ボツンヌーテン

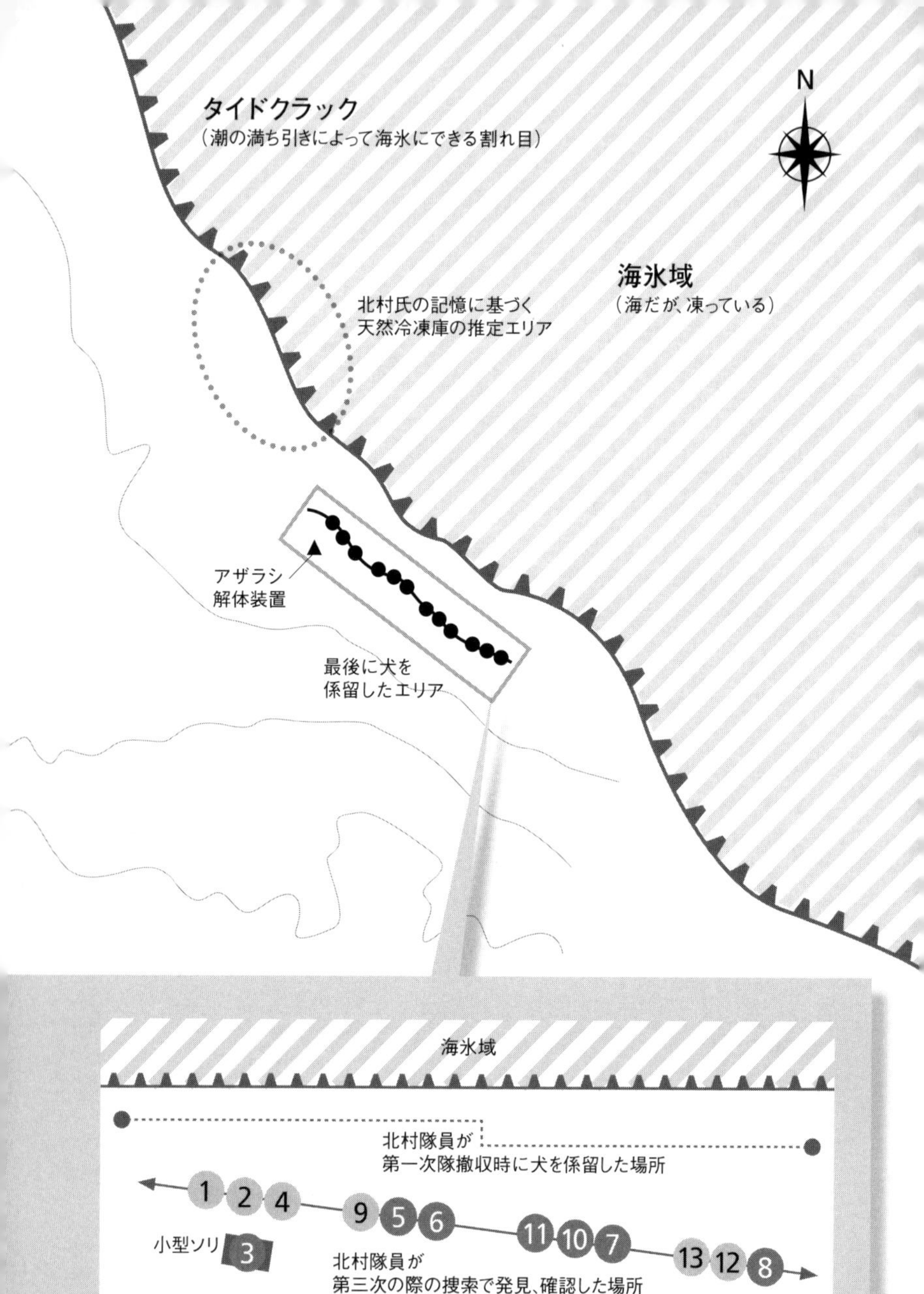
N
タイドクラック
（潮の満ち引きによって海氷にできる割れ目）
海氷域
（海だが、凍っている）
北村氏の記憶に基づく
天然冷凍庫の推定エリア
アザラシ
解体装置
最後に犬を
係留したエリア
海氷域
北村隊員が
第一次隊撤収時に犬を係留した場所
1 2 4 9 5 6 11 10 7 13 12 8
小型ソリ 3
北村隊員が
第三次の際の捜索で発見、確認した場所

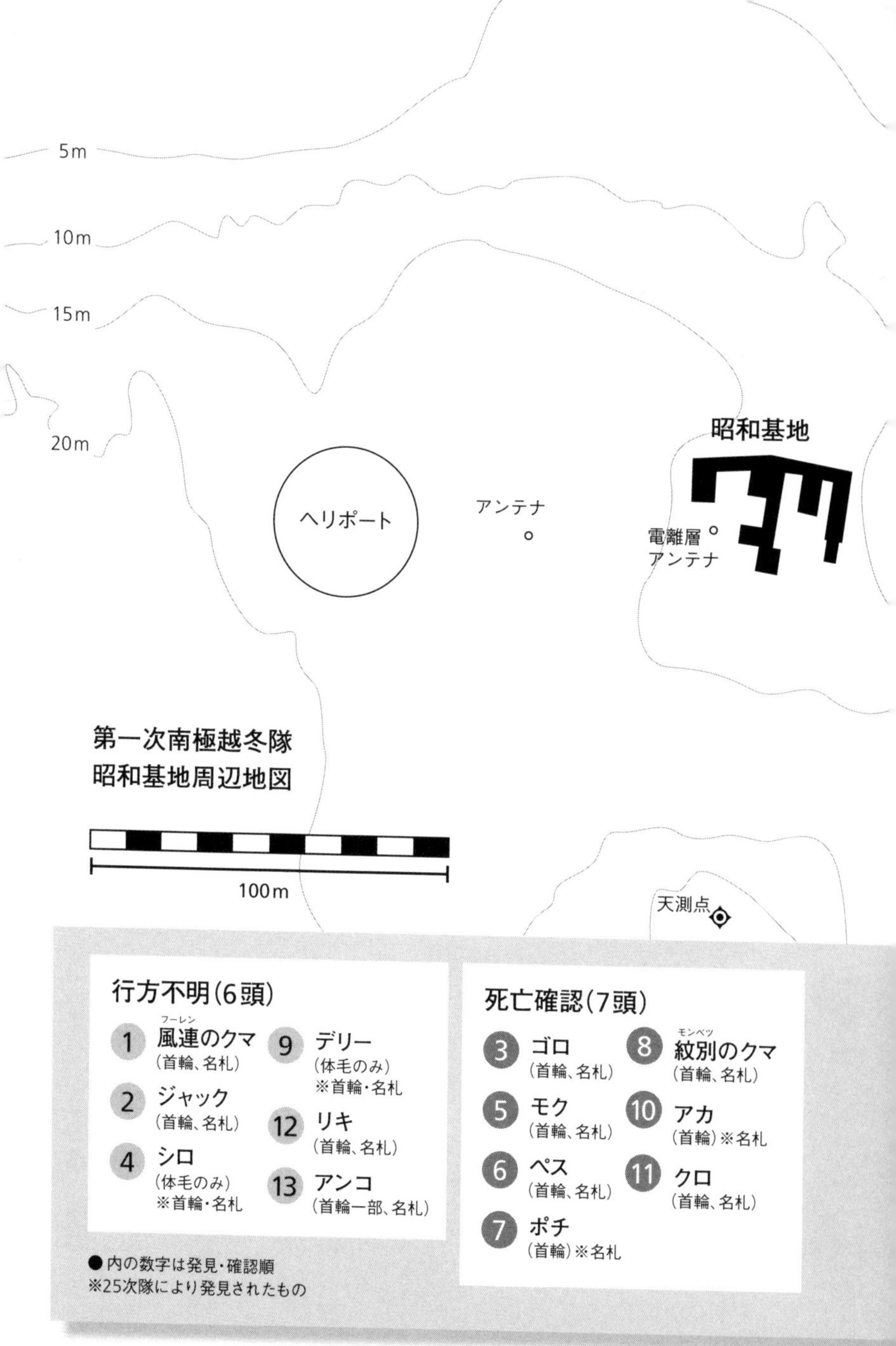

5m
10m
15m
20m
ヘリポート
アンテナ
昭和基地
電離層
アンテナ
第一次南極越冬隊
昭和基地周辺地図
100m
天測点
行方不明(6頭)
1 風連(フーレン)のクマ
(首輪、名札)
2 ジャック
(首輪、名札)
4 シロ
(体毛のみ)
※首輪・名札
9 デリー
(体毛のみ)
※首輪・名札
12 リキ
(首輪、名札)
13 アンコ
(首輪一部、名札)
死亡確認(7頭)
3 ゴロ
(首輪、名札)
5 モク
(首輪、名札)
6 ペス
(首輪、名札)
7 ポチ
(首輪)※名札
8 紋別(モンベツ)のクマ
(首輪、名札)
10 アカ
(首輪)※名札
11 クロ
(首輪、名札)
● 内の数字は発見・確認順
※25次隊により発見されたもの

第一次南極越冬隊
カラフト犬一覧

生存

シロ子

タロ

ジロ

行方不明

風連（フーレン）のクマ

アンコ

ジャック

リキ

デリー

シロ

比布（ヒップ）のクマ
（越冬中に行方不明）

プロローグ

——いったい何の話だ？

北村泰一は耳を疑った。

一九八二年、春。東京・銀座の喫茶店。

目の前に、第一次南極越冬隊の仲間だった村越望が座っている。

村越が切り出した言葉の意味が、わからなかった。急に店内の温度が上がった気がした。

一九五七年から一九五八年にかけて実施された第一次南極観測越冬。北村も村越も日本初の越冬隊員として、南極の昭和基地で厳しい一年間を過ごした。

当時、北村は京都大学大学院生。オーロラ観測担当であり、犬ゾリを曳（ひ）くカラフト犬たちの世話係だった。気象担当の村越は、毎日綿密な気象観測記録を残した。村越が五歳上だが、なぜか二人は気が合い、夕食が終わると夜遅くまで話し込んだ。南極で観測するオーロラの素晴らしさ、南極の気象観測の難しさ、夕食のメニュー採点……。

特にカラフト犬については毎日のように新しい発見があり、北村はその日に起こったことを熱心に村越に話した。村越は基地内で定点観測する気象担当なので、基地外に出てソリを曳く犬たちと接する機会は少ない。それでも、いつも穏やかな表情で北村の熱弁を聞いていた。

それから四半世紀が過ぎ、北村は超高層地球物理学を研究している九州大学助教授となっていた。久しぶりに村越と再会したのは、都内で開かれた会合の帰りだった。

この日も、北村はカラフト犬タロとジロの話をしていた。日本人の多くが、よく知っている物語だ。南極に置き去りにされ、一年間を生き抜き、人間との再会を果たした兄弟犬。その奇跡は、全国の新聞が一面トップで伝え、ラジオでも大々的に報じられた。

話が一段落するのを待っていたかのように、村越が口を開いた。

「北村君。実は話したいことがある。タロ、ジロの話が出たから、思いきって聞くんだが……」

なぜだろう。村越の表情が硬い。

「一九六八年。つまり一四年前のことだ。昭和基地で、一頭のカラフト犬の遺体が発見された。君はそのことを知っているか？」

——カラフト犬の遺体？　何のことだ。意味がわからない。

「ああ……やっぱりかぁ」

村越は、呆然とする北村を見て、頭を抱えた。

「ねえ村越さん。いったい何の話ですか」

うむむ、と腕組みをする村越。宙をにらむ。しきりに唇をなめる。頭の中で物事を整理している時の癖だ。

「そうか、やっぱり知らないんだな。わかった。最初から順序立てて話そう」

一九五八年二月一一日。第一次越冬隊は南極観測船「宗谷（そうや）」に全員収容された。一五頭のカラフト犬は第二次越冬隊が引き続き利用するため、昭和基地に係留したままだった。

しかし天候が回復せず、二四日に第二次越冬は中止となった。この瞬間、鎖につながれたままのカラフト犬たちは、極寒の世界に置き去りにされてしまった。犬たちの運命は絶望視された。

ところが奇跡が起きた。一年後の一九五九年一月一四日。第三次観測隊が昭和基地に到着すると、なんと二頭が生きていた。タロとジロ。それを確認したのは北村だった。

全滅した犬たちを手厚く弔ってやろう。その一念で、北村は第三次観測隊に志願したのだった。それだけに、生きていたタロとジロに我を忘れた。二頭を抱きしめ、雪原を転げまわった。信じがたいニュースは世界中を駆け巡り、日本国内は歓喜に沸き返った。

「南極越冬隊」といえば、ほとんどの日本人は「タロとジロの奇跡」を連想する。それ以外のことは、ほとんど知らないと言ってもよい。

確かにタロとジロは生きていた。しかし現実は悲惨だった。

残る一三頭のうち、七頭は氷雪の下から遺体で発見された。そのうちの一頭を解剖した結果は完全餓死。体重は、置き去りにした時の半分になっていた。

六頭は、首輪などの痕跡だけ残して姿を消していた。最終的に「行方不明」とされた。

二頭だけが基地で生存。七頭死亡。そして六頭が行方不明。これが長年にわたる定説である。

「幼い兄弟のタロとジロだけが基地にとどまり、懸命に助け合って、厳しい南極で生き抜いた。そういうストーリーを、俺たちは長い間信じていた」

「ところが突然、昭和基地で別のカラフト犬の遺体が見つかった、と」

確認するように北村が返す。

「そうだ。つまり、基地には第三の犬がいたことになる。タロ、ジロと一緒にね」

――一四年も前にわかったことを、まさか今日になって知るとは……。

深くため息をつき、北村はソファの背に体を預けた。重要なことを聞かなくてはならない。

「犬の遺体を見つけたのは、誰ですか」

「第九次観測隊の隊員だ。たまたま俺も近くにいたので駆けつけた」

南極観測隊は二つのグループに分けられる。南極には行くが短期間の滞在で帰国する通称「夏隊」と、そのまま約一年間越冬する「冬隊」だ。一九六八年一月に南極に到着した第九次観測隊は、オブザーバーを含め、夏隊一六人、冬隊は二九人の大所帯だった。村越は夏隊員として参加していた。

「あの年は南極の気温が高く、どんどん雪が融けた。それで雪に埋もれていた犬の遺体が出てきたんだ」

「なぜすぐに私に知らせてくれなかったんですか」

「あの時は非常事態だった。第四次越冬時に遭難した福島紳（しん）隊員の遺体が見つかったんだ。君も知ってるじゃないか」

北村は、はっとした。福島隊員は日本の南極観測隊関係者の中で、最初の死亡者だ。北村にとって浅からぬ因縁がある人物であり、それだけにあの事件は無念でならなかった。

「南極で福島君を荼毘（だび）に付し、一刻も早く遺骨をご遺族に届けなくてはならない。誰もが必死だった。混乱していたし、時間も人も足りない。そんなさなかに、今度は犬の遺体だ。みんな、余裕がなかったんだよ」

村越は諭すように言い、言葉を継いだ。

「それでも、第三の犬のことは、俺が君に知らせるべきだった。今日、君に会うからと、昔の写真を見ていたんだ。そしたら突然思い出して……今頃になって……すまん」

頭を下げる先輩を気遣いながら、北村は言った。

「考えてみれば、タイミングも悪かったんですよ」

夏隊員だった村越が日本に戻った頃、北村は研究留学のためカナダに飛んだ。ほとんどすれ違いだ。あの頃は、海外に行ってしまえば、音信不通も同然だった。仮に村越が「第三の犬」のことを伝えようとしても、北村の所在を突き止め、コンタクトを取るのは難しかっただろう。

それより、今は「第三の犬」のことをもう少し詳しく知りたい。

「遺体はどこで発見されたんですか？」

「基地の近くだ。引き揚げる時に犬たちを係留したあたりだと思うんだが、確証はない。詳細な公式記録もおそらくないと思う」

そんなことがあるだろうか。北村は首をひねる。南極観測隊には、超高層地球物理、気象、地質など各分野の科学者が集められている。記録するのは科学者の本能なのだが。

「遺体は……傷んでいましたか？」

「いや、綺麗な体だったよ」

「じゃあ、外見の特徴はわかりますよね」

「それが……どうだったかなあ。とにかく、すぐ水葬にされたから」

「ということは、詳しい検死記録も？」

「ないと思う」

「写真は？」

「わからない。とにかく余裕がなかったから」

村越が腕時計をのぞいている。これから何か用事があるようには思えなかった。文字盤を見ていない。

潮時のようだ。長い空白があったとはいえ、よく話してくれた。北村は伝票を取り上げた。

喫茶店の入り口で村越と別れ、北村は、大きく息を吸った。

鎖から逃れ行方不明となった六頭。その中に、第三の犬はいる。いったい、どの犬なのか。本当に記録は存在しないのか。謎を残したまま、第三の犬は歴史に埋もれた。それを明らかにするのは、犬を置き去りにした第一次越冬隊の犬係だった自分の償いだ。

北村は腹をくくった。

「その犬の正体を突き止める」

振り仰ぐと、早くも桜が散り始めている。

南極に吹き荒れるブリザードのように、先が見えない究明の旅が始まった。

序章 再始動（二〇一八年）

奇跡の再会を果たした北村隊員とタロとジロ

第一次南極越冬隊、唯一の犬係

二〇一八年。福岡市内の住宅型有料老人ホーム。入所している北村泰一氏を私が訪ねたのは、二月も終わりの頃だった。当時、私は福岡市に本社を置く新聞社の編集局に在籍していた。

北村氏が南極でタロ、ジロと奇跡の再会を果たしたのは一九五九年。それからちょうど六〇年目だ。中高年以上の日本人であれば、タロとジロの物語を知らない人はほとんどいない。私は二つの理由で北村氏に会いたかった。

北村氏がまだ語ったことがない再会エピソードがあれば、それはきっと面白いだろう。そんな単純な好奇心。

もう一つは時間だった。約六〇年前に実施された第一次南極越冬隊には二人の犬係がいた。北村氏と、地質調査所から派遣された菊池徹氏。しかし菊池氏は二〇〇六年、カナダのバンクーバーで死去している。もうすぐ八七歳になる北村氏は、犬係唯一の生き残りだ。今話を聞いておかないと、もうチャンスはないかもしれない。

午後二時半。個室のドアをノックした。

「どうぞ……」

か細い声が聞こえた。室内に入ると、車いすに座った北村氏がいた。机に向かっている。昔のことをできるだけ思い出そうと、古い資料を読んでいたという。

挨拶を済ませ、インタビューを始めるためにバッグから資料や写真を取り出した。北村氏は、私が手にした一枚の大判写真に目をやった。

「その写真は、何ですか？」

第三次越冬隊員として再び南極の氷雪を踏んだ北村氏が、一年間を生き延びたタロとジロにはさまれて笑っている、有名な写真だった。

当然、北村氏はこの種の写真はいくらでも持っているだろう。話を始めるきっかけになれば、そのくらいの気持ちで持ってきた一枚。しかし、北村氏の反応は予想外だった。

「ああ。これは懐かしい。もっと近くで見せてくれませんか」

写真を渡した。北村氏はデスクに置いてあった眼鏡をかけ、食い入るように写真を見つめ、ため息をついた。

「実は、私の手元には南極時代の写真が一枚もないんですよ」

まったく意外なところから、話が始まった。

「先生。南極でたくさんの写真を撮られたでしょう?」

「はい。何千枚と撮影しました。大切に保管していたんですけどねえ」

いつ、なぜなくなったのか。まったく記憶にないという。そんなことがあるだろうか。

「ですから、この写真はとても懐かしいですねえ」

写真は、思いがけず北村氏への手土産になった。

「もう一頭、生きていた」

タロ、ジロの話は、予想していた以上に面白く、また知らないことも多かった。

特に、北村氏と二頭が再会した時の話は、日本中が泣いたドラマチックな映画『南極物語』とは異なる、本人しか語りえないリアリティがあった。

「正直、私は怖かった。二頭とも唸っているし、頭を低くして襲いかかろうとしているように思えた。そりゃあ、恨んでいるだろう。一年間も置き去りにされたんですからね」

「二頭を発見したヘリからの情報では、クマとゴロ、あるいはモクではないかということだった。でも、実際に目の前で見たら、どの犬なのか、私にはまったく判別できなかった。タロ、ジロなんて思いもしなかった」

「そもそも、痩せこけているだろうと思うでしょう。一年間、ひもじい思いをしただろうから。ところがその二頭は丸々と太ってて、まるで子熊ですよ。いったい、お前たちは誰なんだと」

事実は映画のようにはいかなかったのだ。

北村氏が二頭に近づくと、それだけの距離を後ずさりする。膠着状態が続いた。

「仕方がないから、あてずっぽうに犬たちの名前を呼びました。しかし反応がない。とうとう残ったのはタロとジロだけ。それで半信半疑のまま名前を呼んだら……」

「意外にも、反応したんですね」

「はい。タロは激しく尻尾を振り、ジロは『お手』のポーズを取りました。ジロの癖です。それでやっとね……」

北村氏は、高齢と病気の影響なのか、話す速度が遅かった。それでも、ひと言ひと言、懸命に話そうとしている気持ちは、十分に伝わってきた。

話し始めて、一時間ほどが過ぎていた。

個室の窓からは柔らかな光が差し込み、室内には穏やかな空気が漂っている。

それまで、ゆっくり話を続けていた北村氏が、ふと黙り込んだ。タロ、ジロ、そして北村氏が一緒に写った写真を、じっと見つめている。

「……その後に、その写真が撮れたんですね」

なんとなく間が持たず、私は声をかけた。

「そうそう。もう、うれしくてねえ」

北村氏は言いながら、写真から目を離そうとしない。

やがて顔を上げて話し出したのは、タロとジロのことではなかった。

「あなたもそうですが、誰もが、昭和基地で生きていた犬はタロとジロだけだと思っています。ところが本当は違う。もう一頭、生きていたんです」


私は文字通り、言葉を失った。信じがたい証言だった。北村氏は、私に会う前からこのことを話そうと決めていたという。

第三の犬が昭和基地で生きていたこと。

しかし第三次観測隊が到着する前に息絶えたと思われること。

その遺体は一九六八年、第九次隊の隊員によって昭和基地近くで発見されたこと。

そうした一連の事実を、一九八二年になって一次越冬隊の仲間だった村越望氏から打ち明けられたこと。

第三の犬を突き止めようと決心したこと。

北村氏が話した内容は具体的で、私は徐々に引き込まれていった。取材はとても一日では終わらなかった。何度も何度も、北村氏を訪ねた。

公式報告書の記録は

「じゃあ、先生自身、その時初めて、第三の犬の存在を知ったというわけですか」

「そうです。驚きましたよ」

——それは、そうだろう。しかし単純な疑問が浮かぶ。

第三次越冬以降も、南極には次々に新しい犬がやって来たはずだ。一次隊が残置し、行方不明になった六頭以外にも、昭和基地には多くの犬がいた。他の犬ということはないのか？

「その可能性は、ないんですよ」

北村氏は、私の質問を予想していたかのように、説明を始めた。

昭和基地にいた犬の生死は、すべて公式記録に残されている。四次隊越冬中に不明になった犬が一頭いたが、基地には常時隊員がおり、不明犬が昭和基地に戻らなかったことは確認済みである。外国の基地から犬が逃げ出したと仮定しても、一番近い外国基地から昭和基地までは一〇〇〇キロ近くも離れており、たどり着くのは不可能。

つまり「他の犬かもしれない」という可能性を潰していった結果、一次隊で残置された後に不明になった六頭に絞り込まれたのだ。

「その六頭のうちの、どの犬なのか。何らかの情報が得られるとすれば、遺体を発見した第九次隊員の証言ですよね。ただ、客観的な情報となると、やはり第九次観測隊の公式報告書になりますか？」

「その通りです。何としても報告書を手に入れなければならない。そう思いました」

村越元隊員は「第三の犬に関する詳細な公式記録はないと思う」と言っていた。だが北村氏は疑問を感じたという。

南極観測は科学調査である。科学者が調査し、分析した結果は詳細な記録として国に提出される。もちろん、犬の遺体発見の報告は本来の任務ではない。しかし動物生態学からみれば、南極で死亡した犬からは貴重な検死データを得られる可能性がある。その観点から、ある程度の記録は残すはずだ。

北村氏は、つてを頼って第九次観測隊の公式報告書のコピーを手に入れた。分厚い文書を、もどかしい思いでめくったという。

「村越さんは、ああ言ってましたが、私は期待していました。観測隊の報告書は詳細ですからね。丹念に読みました」

ところが、第九次観測隊の「夏隊報告」にも「越冬隊報告」にも、「第三の犬」の遺体発見に関する記述は一行もなかった。

北村氏は信じられないような思いだったが、ふと、村越元隊員の言葉を思い出した。第三の犬の発見は、第四次隊で行方不明になった福島紳(しん)隊員の遺体発見と重なっていたという。福島隊員の遺体が発見されたのは一九六八年二月九日。九次隊が南極に到着し、前任の八次隊と交代するタイミングだった。もしかしたら……。

北村氏は、再びつてを頼り、今度は第八次観測隊の報告書を入手した。あった——。

四次越冬時に遭難した福島紳隊員の遺体発見報告文書の、末尾に記されていた。

《今年の夏は、昭和基地の気温が極めて高く（中略）融雪現象がはげしかった。そのため、第一次が残したカラフト犬の遺骸すら発見されていることを付記する》

記録はあった。しかし、これだけだった。どの犬の遺体なのかという肝心の情報は記載されていない。

北村氏にとって、これは想定外だった。科学者は自分が確認した事象、現象、物体に関することは可能な限り記録する。しかし現実には、犬の解剖所見や写真など、第三の犬の遺体の特定につながるような情報は公式記録には一切記されていなかったのである。

「先生。犬の遺体が見つかったというだけでは、きちんとした記録とは言えないでしょう。当てが外れましたね」

「心底がっかりしましたよ。そうなると、第三の犬の特定につながる情報を持っている可能性があるのは、犬の遺体を見つけた第九次隊員の証言だけです」

第九次隊員の証言

幸い隊員名簿は入手していた。第九次観測隊員はオブザーバーを含め四五人。発見者が誰であったか、村越氏が覚えていなかったため、一人ひとりコンタクトを取り、聞いていくしかない。

北村氏が欲しいのは、遺体がどの犬だったのか、特定につながる外観情報だった。

北村氏は名簿の中から面識がある人物をピックアップし、連絡を取っていった。大学関係者、国家公務員、民間人など、証言を得られたのは一〇名を超えた。全員が「昭和基地近くで、犬一頭の遺体が発見された。それは間違いない」と証言した。

第八次越冬隊の報告書に記載された「カラフト犬の遺骸」は、確かに存在したのだということは、裏付けられた。しかし最も知りたかった遺体の状況に関する証言は曖昧で、ばらつきがあった。

意外だった。発見から一四年が経っているとはいえ、遺体の外観ぐらいは覚えていそうなものだ。体の大きさや体毛や顔つき。その情報が欲しかった。しかし、そういう細かなことになると、明確な答えが得られなかった。いずれにせよ、証言はそこまでだった。

密かに期待していたのは、犬の遺体写真だった。誰かが写真を撮り、現在も持っているかもしれない。しかし、写真を持っている人物はいなかった。

第三の犬の特定は、できなかった。

それが、一九八二年の厳しい結論だった。

聞いているうちに、私には小さな疑問が浮かんだ。北村氏にぶつけてみた。

「昔のこととはいえ、九次隊員たちの証言が一様に曖昧なのは、どうもしっくりしません。科学者たちなんだし、もう少し具体的な証言をしてもよさそうに思うんですが……」

私の疑問に対して、北村氏は隊員たちの証言を前向きにとらえた。

「ともかく、あの時点で、決定的ではないにしろ一定の証言が得られた。そこは評価してよい。証言をもとに、私は第三の犬の正体について考察を開始しました。時間をかけて。そして、論理的ではありませんが、ひょっとしたら……、と思いあたる犬が浮かんだのです。もちろん単なる印象論です。その犬である可能性は考えられる。その程度の、ぼんやりとしたものでした。もっと理詰めでしっかりした推論を展開していく必要がある。私としては、隊員たちの証言によって検証をスタートさせることができた、そういう気持ちだったのです」

物証がない中で

絶対的な証拠がない。裁判でいえば物証がない。であれば、合理的な状況証拠を積み上げていくしかない。科学者として、第一次越冬隊の犬係として、自分自身が納得できる状況証拠を。

犬を置き去りにして帰国した後、周囲の友人も大学院の仲間も北村氏には同情的だった。

「あれは、仕方がなかった」

「悪天候のせいだ。君の責任じゃない」

いくら慰められても、心は晴れなかった。やってしまったことは、取り返しがつかない。しかし思いがけず、「第三の犬」がタロ、ジロとともに生きていたことを知った。その遺体を発見した隊員たちから、一定の証言も得た。

どの犬だったのか。それを突き止めることで、自分なりのけじめをつけたい。特定するまであきらめるわけにはいかなかった。

自分は一五頭の犬を無人の南極に置き去りにした。どう慰められても、その重い事実は厳然とある。目をそらしてはならない。飢え死にした犬たち。鎖からは逃れたが、南極のいずこかで死んで行った犬たち。犬係だった自分は、第三の犬の謎に向き合わなくてはならないのだ。

第三の犬を特定する作業は簡単ではなかった。そのことで、北村氏の決意はむしろ強まった。何年かかろうと、第三の犬の謎を解く。

タロ、ジロだけではない。極寒の地で命を落とした名もなき多くの犬たちがいる。氷雪に埋もれた彼らにも光を当ててやりたい。それが、見殺しにしてしまったすべての犬たちへの償いにもなるはずだ。

ただの印象論から、確度の高い推論へ。北村氏の検証はここから本格的に始まるはずだった。

しかしこの頃、北村氏の専門領域であるオーロラ、宇宙線など、超高層地球物理学に関する研究は、先進各国で急速に高度化しつつあった。

日本人として初めて南極でオーロラを観測し、その後、オーロラ研究が盛んなカナダに二度も研究留学した学者として、北村氏も本業に専念しなければならない時期だった。研究があまりにも忙しく、検証に数年間の空白ができる時期もあった。時間が足りなかったのだ。

さらに、予想外の不幸な出来事が北村氏を襲った。

一九九四年。九州大学教授だった北村氏は、九大探検部とともに中国古代神話ゆかりの地であるココシリ高原を探査していた。ココシリとは「青い山々」を意味するチベット語だ。海抜およそ四七〇〇メートルの大高原で、北村氏は倒れた。高山病である。

一時は生死の境をさまよった。幸い意識は取り戻した。しかし後遺症が残った。

検証を継続するには、もともと時間が足りなかったうえに、肉体的にも厳しい局面に立たされてしまった。「第三の犬」は、どの犬なのか。さらなる検証は中断を余儀なくされた。

それは同時に、検証と並行して少しずつ集めていた他の犬たちに関する情報を得る道が断たれたということでもあった。犬たちと一心同体で一年間を過ごした犬係として、耐えきれない中途半端な状態である。北村氏は煩悶した。

第三の犬の検証作業で、「ひょっとしたら……」と思いあたる犬が浮かんだのは一種のインスピレーションだった。信頼性の高い資料を集め、科学的な検証を継続し、誰もが納得いくレベルにまで高めなければ意味がない。一定の推論に達したとはいえ、まだ道半ば。しかし、もはや検証を継続する時間も体力もない状況に追い込まれてしまった。

弱り切った北村氏の心と体に、悪魔の声がささやく。

――今、第三の犬の正体を突き止めたからといって、どこに発表するんだ？

――自分なりに、思いあたる犬が浮かんだんだ。それで十分じゃないか。

そんな妥協は、したくなかった。しかし、現実には検証を先に進めることは叶わない。北村氏は、煮えたぎる鉛を飲み込むような思いで、自分自身を無理やり納得させた。

いつか、必ずチャンスが来る。第三の犬の正体は、一生をかけて絶対に突き止める。その思いを抱いて生きていこう、と。

検証再開

それから四半世紀が過ぎた。知的探求心が衰えることはなかったが、記憶は次第にあいまいになり、体の機能が回復しないために、新たな資料集めも検証も、二〇一八年の現在まで頓挫したままだ。

私が北村氏と初めて会ったのは、福岡市内の梅が満開の頃だった。「第三の犬」という謎めいた存在への興味から、私はそれから何度も北村氏の部屋を訪ね、話を聞いた。北村氏の体調がいい時は暗くなるまで。思わしくないときは一時間で切り上げる時もあった。

ある日のこと、私が車いすを押していると、北村氏がゆっくり振り向いて、言った。

「実は、頼みがあります」

北村氏の表情にはノーとは言わせない覚悟が刻まれていた。

「私は第三の犬の正体を何としてでも解明したい。それを、手伝ってもらえませんか。それから犬たちが南極でどう生き、どう死んだのか、すべてを証言しますから、それを記録に残してほしいのです」

とうに忘れたと思っていた六〇年前の出来事を少しずつ語るうちに、北村氏は細かな記憶が次々によみがえった。そのたびに犬たちへの思いが強くなり、それはやがて、断固たる決意となった。

犬たちが南極で必死に生きた証を、記録にとどめる。

それは時間との戦いだった。第一次越冬隊で、犬たちと濃厚な一年を過ごしたのは二名の犬係だけだ。しかしもう一人の犬係、菊池徹氏は二〇〇六年にこの世を去っている。南極で起きた犬たちの真実を語れるのは、もはや自分以外にいない。今年で八七歳だ。いつまで生きていられるかわからない。

今、自分が語らなければ、真実を伝えるチャンスは永久に失われる。

腹をくくった者が放つ眼光が、私を射た。

「犬たちは物言わぬ越冬隊員。タロとジロ以外は今もなお、名もなき存在のままです。だからこそ、彼らが南極で苦しんだり喜んだりしたすべての真実を、世の中に知ってもらいたい。そうでなければ、私は死んでも死にきれない」

もちろん、私は深くうなずいた。

第三の犬の検証が、四半世紀ぶりに再スタートした。

北村氏の指示は、的確だった。

「検証を深く確かなものにするためには、もっと資料が必要です。それも公的な」

検証に必要な公的資料を集め、北村氏の論理的な検証をサポートする。それが私の役割となった。

新聞記者を長くやってきたので、資料集めは慣れている。私は四月末で新聞社を退職した。これで自由に動けるようになった。資料は思いがけず順調に集まった。しかし、その数が膨大になればなるほど、すべてに目を通すのは大変だ。高齢の北村氏にとって、肉体的にも精神的にも大きな負担になる。

全部調べないと気が済まない。それが北村氏の性格であることは、次第にわかってきた。だが、それでは時間がいくらあっても足りない。北村氏の健康も心配だ。

資料の取捨選択は任せてもらった。そのうちに、北村氏が何を欲しているかも予測できるようになった。呼吸が合ってきた。

不思議なことに、情報収集作業を始めると、これまで音沙汰がなかった多くの関係者が北村氏を訪ねてきたり、手紙を送ってくるようになった。国立極地研究所の中村卓司所長が北村氏を訪ね、「あらゆる協力をします」という趣旨の一文を書いてくれた。これは極地研究所が保存している資料の入手を容易にし、検証作業を加速させた。

ある一次越冬隊員の遺族からも手紙が届いた。封筒の中には、昔、北村氏がその隊員に送った古い手紙のコピーも同封されていた。こうした過去の個人的資料に触発されて、北村氏が、それまで語っていなかった新たな事実を思い出すこともあった。

北村氏の記憶は、最初に会った頃に比べると、驚くべきスピードでよみがえっていた。当初は聞き取るのが難しかった言葉も、どんどん明瞭になってきた。北村氏の脳内に何かが起きているように見えた。

「第一次越冬隊にまつわる、すべてを聞かせてください。当時は特別なことだとは思っていなかったことに、重大なヒントが隠されているかもしれない。証言しているうちに、何か思い出すことだって、あるかもしれないし」

少し前の北村氏なら、躊躇したかもしれない。「もう六〇年も前のこと。忘れてしまった」と繰り返すことが多く、自信をなくしていたから。

しかし、今の北村氏は自信にあふれ、気力がみなぎっていた。

「もちろんです。今から始めましょう」

北村氏に、もはや迷いなどなかった。静かに語り始めた。

第一章 南極へ

（一九五五年九月〜一九五七年二月）

稚内（わっかない）での犬ゾリ訓練

揺れる日本の悲願

一九五五年九月一日、国際地球観測年研究連絡委員会委員長の長谷川万吉京大教授ら五名の日本代表団は、羽田を飛び立ち、ベルギーのブリュッセルへと向かっていた。

ブリュッセルで行われる第二回南極会議に出席するためである。

気象や地磁気、オーロラなど地球物理に関する現象は、地球規模で同時観測することが重要である。この観点から、世界が連携して研究を推進する国際学術連合会議の中にIGY（国際地球観測年）特別委員会が創設され、同委員会の中の「南極会議」で南極における国際観測計画が討議されることになった。

第一回会議は一九五五年七月、パリで開催。日本は会議には出席できなかったが、参加の意思を表明する日本案を提出していた。それが認められるかどうかが、九月八日にブリュッセルで始まる第二回会議で決まるのだ。

日本の立場や内情は複雑だった。

終戦からまだ一〇年。敗戦国に対する戦勝国の視線は厳しかった。しかも、国内は焼け野原からの復興途上。だからこそ、科学技術で世界に貢献できることを示したいというのが日本学術会議（茅誠司会長）を中心とした科学者たちの思いだったが、政府にとっては経済復興が最優先の課題である。膨大な資金が必要な南極観測をすんなりと国家事業として認められる環境ではない。

南極観測が実現すれば直轄官庁となる文部省（現文部科学省）は前向きだったが、大蔵省（現財務省と金融庁）は猛反対。当時、第二次鳩山内閣で文部大臣だった松村謙三は南極観測に理解を示していたが、反対する閣僚も多かった。政府内でも意見が割れていたのである。

九月二日になって、ようやく政府として了承されたものの、予算も確保されておらず、具体的なプランも立案されていない。日本の悲願である南極観測実現への第一歩は、まさに綱渡り状態だった。

日本代表団の団長となった京都大学の長谷川教授には、秘めた自負心があった。

「南極観測事業は、京大がリーダーシップを取る」

頭の中にはいくつかの構想がある。誰を観測隊員の候補にするか。その中には自分の直系の教え子であり、京都大学大学院でオーロラを研究している北村泰一の名前もあった。ブリュッセル会議に向かう直前、長谷川は、京大のキャンパス内で北村に言った。

「留守中は頼むぞ。ところで君、南極に行かないか。オーロラ観測ができるぞ」

北村は天にも昇る心地だった。もし本当に行けるのなら、日本人科学者として初めて南極でオーロラ観測を経験できる。

オーロラは、北極と南極近辺の「オーロラオーバル」と呼ばれるドーナツ状の領域で見られる大気の発光現象だ。その発生原理は現在でも統一見解がない。まして二〇世紀半ばのこの時代、地球磁場や電離層などと同様に、超高層物理学の領域であるオーロラの研究はほとんど進んでいなかった。このため一九五七年から一九五八年にかけて実施される国際地球観測年において、南極でのオーロラ共同観測は重要なテーマだった。北村はこのチャンスを絶対に逃したくなかった。

「お願いします！」

北村は、これ以上ないほど深く頭を下げた。自分の人生が大きく変わる予感がした。

ブリュッセル会議で、日本は参加を承認され、南極プリンス・ハラルド海岸に基地を設置するよう勧告された。

実はこのエリアは、すでに米国の調査によって「接岸不能」という報告がなされていたのだが、当時の日本代表団は、その事実を知る由もなかった。

犬ゾリの採用

ともかくも、扉は開かれた。南極観測事業を実質的に指揮する機関として、南極特別委員会が日本学術会議の中に設置された。途端に、何の準備も整っていない現実にぶち当たった。どれくらいのレベルの施設が必要なのか。資材は？　食料は？　要員は？　そもそもどうやって南極まで人と資材を運ぶのか？

特に、現地を仕切るリーダーの不在が最大の課題であった。推進役を任されていた茅誠司会長は頭を抱えた。ある日、副会長の桑原武夫京大教授が一人の人物を推薦した。

「私の友人に西堀という男がいます。京大山岳部時代からの仲間なんですが、生死の境をさまようような時に、不思議な力を発揮した男です。何が起きるかわからない南極では、彼の力量がきっと生きますよ」

西堀栄三郎。京都帝国大学を卒業後、京大助教授から東京電気（東芝）に移り、万能真空管などを開発。その後京大に復帰した変わり種だ。京大山岳部時代には、通常の山岳キャンプではなく、極地法という北極や南極で用いられる方式でのキャンプ経験を積んだ。そのキャリアは役に立ちそうだ。また山小屋に転がっていた板切れでスキー板を作るといった臨機応変な考え方と物作りの技術を持っている。体力的にも申し分ない。

茅は、藁にもすがる思いで西堀に会った。

「西堀さん。日本は南極観測の経験がない。はたして可能だろうか？」

「何をやるにしても、最初というのは必ずあります。必要なのは、可能にする勇気ですよ」

西堀の答えは明快だった。

茅は西堀の豪胆さに感心し、今度は南極特別委員会に西堀を招いた。ここで大きな変更が決まった。移動や移送の手段だ。

委員会は雪上車の導入を決めていた。しかし西堀はこれに「待った」をかけたのだ。

「雪上車だけではだめです。犬ゾリが必要です」

途端に、委員会内に笑いが広がった。

「いくら犬が頑張っても、雪上車には勝てんでしょう」

ところが、そうではなかった。南極では、雪上車をはじめ最新の機動車両が次々に事故を起こしていた。雪上車はパワーも積載能力も犬ゾリとは比較にならない性能を持つが、その重量や精密性が問題だった。事実、オーストラリアや米国の観測隊では雪上車やトラクターがクレバスなどに転落する事故が起きていた。

「雪上車のパワーは確かにすごいが故障が怖い。もし南極の基地からはるかに離れた場所で動けなくなったら、隊員の命にかかわる」

もはや笑っている委員はいなかった。

「だから、犬ゾリなんですよ」

もちろんソリも故障する。だが単純な構造だからペンチと針金があればなんとかなる。クレバスに落ちても引き上げることができる。危険の多い南極では、軽量で単純構造の犬ゾリの方が適している場合もある、というのが西堀の主張だった。

西堀には、ノルウェーのアムンゼン対英国のスコットによる南極点一番乗り競争が念頭にあった。一九一一年から一九一二年にかけて、どちらが先に南極点に到達するか、二国間で争われ、当時は小国だったノルウェーの勝機は薄い、というのが大方の予想だった。

だが勝ったのはノルウェーのアムンゼン隊。それも圧勝だった。アムンゼンはハスキーを主体とした犬ゾリで勝負をかけた。絶対優位とみられたスコット隊は犬ゾリを軽視し、馬や電動式ソリに固執した。それが敗れた一因となった。

「確かに、西堀君の説明には一理ある」

委員会の空気は完全に変わった。

そんな中で、焦りの色を浮かべる男たちがいた。国の担当機関である文部省の官僚たちだった。

「冗談じゃない。犬ゾリなんて、そんな予算どこにもないぞ」

「そもそも、南極の寒さに耐えられる犬など、日本にいるのか」

西堀の指摘は正鵠を射たものだった。犬ゾリは確かに必要だ。しかし犬ゾリ編成のためには、南極の寒さに耐えられる犬を集め、訓練しなければならない。犬はどこで確保できるのか。どうやって訓練すればいいのか。

海外では、ロシアのシベリアを原産地とするサモエードや、シベリアからカナダ北極圏に広がるツンドラ地帯を原産地とするシベリアン・ハスキーがソリ犬として使われている。しかし、この犬種は日本にはいない。

具体案を示せる委員は誰もいなかった。犬ゾリ採用は決定したが、問題はここから。すべては西堀に託された。

カラフト犬

西堀は「南極事業の成否は犬の確保にある」と考えていた。ソリ犬として優秀で、南極の寒さに耐える強さを持つ犬。それもまとまった数が必要になる。

西堀はキーマンを定めていた。極地探検研究のエキスパート、加納一郎だ。加納は大阪生まれの京都育ち。北大農学部に進学し、卒業後、地方公務員や新聞記者を経て、一九四四年に札幌に疎開。北海道大学に勤務した。

加納は数々の極地探検を経験しており、かねてから「極地では犬ゾリが有用である」と主張していた男だった。特別委員会で西堀が力説した犬ゾリ導入論は、加納の研究成果が下敷きになっていた。

一九五六年一月。西堀は札幌市に加納を訪ねた。

「加納さん、私は南極で犬ゾリを活用したい。しかし、肝心の犬に関する情報がありません。力を貸してください」

「それならカラフト犬です。幸い北海道大学には犬飼君がいます。彼が協力してくれれば千人力ですよ」

加納は、北大農学部の犬飼哲夫教授を紹介した。犬飼は戦前樺太（からふと）に渡り、現地でカラフト犬を研究した応用動物学の第一人者であった。

西堀は犬飼のキャリアに賭けた。

「南極観測が成功するかどうかは、カラフト犬にかかってるんです」

西堀の説得に対し、犬飼は二つ返事で引き受けた。

予備観測隊が南極に向けて出発するのは一一月。一刻も早く犬を探し、適性を検査し、訓練をしなければならない。残された期間は一〇カ月。

国家事業の南極観測に、カラフト犬が抜擢される——地元紙が大々的に報じると、北海道は大いに沸いた。カラフト犬は、ほぼ北海道にしか生息していなかったからだ。

犬飼教授らの研究によると、日本の樺太領有時代、現地には太い骨格をした大型犬がいた。これが一般にカラフト犬といわれ、北海道に移入された。しかしその数は年々減少していた。

「カラフト犬は長毛種と短毛種に分けられます。長毛種の体毛は一〇センチから一五センチもあるのに、短毛種は五センチから八センチ。外見は全然違います。ただ両方とも綿毛が密生しているので寒さには極めて強い。南極でも大丈夫でしょう」

犬飼の説明に、西堀は胸をなでおろした。寒さに強いこと。この最低条件はクリアできそうだ。

次の問題はパワー。寒さに強くても、ソリをまともに曳けないようでは困る。

「体格や、牽引力はどうでしょう」

「以前、私が現地で調べた記録があります」

犬飼は分厚い資料を取り出した。一九四五年三月に樺太で実施した現地調査。三歳から四歳のカラフト犬の平均値が記録されている。

それによると、メスがやや小柄ではあるが、いずれも胸部、四肢が十分に発達しており、重心が低い。特にオスは牽引に適しているという。実際、北海道では林業や農業、商業で、小さなソリや荷車を曳かせている。実績はある。

最後はカラフト犬の性格だ。西堀が心配していたのは、ここだ。飼い主には忠実であっても、初めて会う隊員たちの指示をちゃんと聞くだろうか。科学者、技術者ばかりの南極観測隊だ。犬ゾリなど操ったこともない。犬が御者の指示を聞かないなら、ハンドルとブレーキがない車を走らせるようなものだ。

「調教は、おそらく大変でしょうね」

犬飼の言葉に、西堀はがっくりした。

「カラフト犬は飼い主には従順です。方向感覚は鋭敏だし、帰家性も優れているから放っておいても自力で戻って来る。ただ大規模な犬ゾリ隊を編成するとなると、問題点が三つある」

第一に、多くのカラフト犬は、現在は個人に飼育されている。一頭、二頭というケースが大半だ。数十頭という大きな集団の中に放り込まれたら、必ず順位付けの争い、喧嘩（けんか）が起きる。負傷する犬も出るだろう。

第二に、ソリの先頭を走る優れた先導犬がいないと烏合の衆になる。犬ゾリは先導犬で決まるといってもよい。それもかなり優秀な先導犬が必要。

第三に、犬ゾリを操る人間が犬を本当に理解しているかどうか。技術はトレーニングで何とかなるが、犬との信頼関係を築くのは簡単ではない。

「西堀さん。カラフト犬は馬鹿じゃないですよ。人間など及ばない才能がある。危険を察知し、人を見抜く。彼らの能力を生かすも殺すも、人間です」

犬飼の言葉は重かった。

確かにカラフト犬の感覚は鋭い。例えば、走っている時に「この先に、ぬかるみがあるぞ」

ということが本能的にわかる。氷の薄い場所や危険なエリアを、足の裏から伝わる感触で察知する。危険な場所は回避する。

ところが犬ゾリになると事情が変わる。雪面や氷面の状態を把握できない人間の指示に従って走るので、その先に危険があることを察知した犬は困惑して隊列が乱れる。

つまり、人間と犬との信頼関係はもちろんのこと、ソリを操る人間も危険回避能力を身につけることが求められるわけだ。犬の方が人間を「こいつはだめだ」と見限ってしまえば、いくら命令してもカラフト犬は動かない。

「犬を集めさえすれば、と思っていたが……」

西堀は、先行きが決して平坦ではないことを知った。

ともあれ、西堀の北大訪問をきっかけに、一月三〇日に北大に極地研究グループが発足した。目的は南極観測基地の設営や装備をバックアップすること。まずは、カラフト犬による犬ゾリの研究を進めなければならない。

誰もやったことがない、南極を想定した犬ゾリ訓練。北大の極地研グループの責任は重大だった。

タロ、ジロとの出会い

まず、どこに、どれだけのカラフト犬がいるのか。その情報が必要だ。

「それは、私どもがやりましょう」

北海道庁衛生部が全面的に協力した。全道の保健所を通じ、狂犬病予防法に基づく畜犬登録原簿を集計。最終的に、比較的優良な血統を維持しているカラフト犬約一〇〇〇頭が道内に生存していることが判明した。

だが、血統は優良でも、ソリ犬として優秀かどうかはわからない。しかも優秀な犬ほど使役犬として役に立つわけで、飼い主にとっては必要な存在だ。容易に手放さないだろう。

この現地調査と説得、譲り受け作業は犬飼教授グループが一手に引き受けた。犬飼は一緒に犬集めをするスタッフを求め、真っ先に手を挙げたのが農学部付属博物館の芳賀良一助手だった。のちに帯広畜産大教授になった芳賀は、犬飼とともに精力的に道内を回った。

北海道本島の最北端にある稚内（わっかない）市、その南部の豊富（とよとみ）村、さらに南に下がった名寄（なよろ）町（現名寄市）、道中央部のやや北にある旭川市、その西に位置する深川町（現深川市）、北西部の港町・留萌（るもい）市、南西部の苫小牧（とまこまい）市、札幌市などを回り続けた。

とりわけ、稚内市の西側に位置する利尻（りしり）島には多数のカラフト犬がいた。これには理由があった。一九二一年から一九二三年の大不漁で、多くの島民がすぐ北方にある樺太に出稼ぎに行った。その際に連れ帰ったのがカラフト犬だった。我慢強く、牽引力があるので小型の犬ゾリや荷車を曳かせたのだという。

犬探しをする過程で、カラフト犬といっても千差万別であり、健康度、体格、体力、性格などを総合的に判断して選抜する必要があることがわかってきた。その選別作業には北大の犬飼教授らを中心としたグループが当たった。

譲り受け作業は容易ではなかった。一家に一頭というケースが多く、力持ちのカラフト犬は一家の重要な働き手だったからだ。手放すと仕事に支障が出て、生活を圧迫する心配がある。代わりのカラフト犬は簡単には手に入らない。

また、心情的な理由も大きな壁になった。

「南極なんて、とんでもないところに、うちの犬は行かせられない」「子供たちにとっては弟や妹みたいな存在。引き裂くのは可哀そう」と断られるケースが相次いだ。譲ってもらった直後に、飼い主の子供たちに「うちの犬を連れていかないで」と泣いてすがられたこともあり、芳賀の心は痛んだ。

ある日、芳賀は稚内市を回っていた。この街は日本で最も樺太に近い。北洋漁業を中心に水産業が盛んだった。芳賀は近くの魚市場に入った。市場では、使役犬用としてカラフト犬が売買されていることを聞いたからだ。にぎやかな通りに屋台や食べ物屋が立ち並んでいる。

「立派なカラフト犬がいたら、いいんだけどなあ」

何頭か見て回っているうちに、芳賀は三頭の子犬に惹きつけられた。稚内市内で生まれた三兄弟だという。生後三カ月というわりには体格がしっかりしている。体毛も綺麗で、大切に育てられてきたことがわかる。

芳賀が一頭を抱きかかえ、顔をのぞき込むと、真っ黒な体をくねらせ、逃れようとする。力強い。手足を触診したが、まったく問題ない。特に太い脚は大きくなる可能性がある。

「素晴らしいカラフト犬だ」

芳賀は宝物を手にした気がした。

「おい、お前。南極に行くか？」

芳賀がささやくと「ワン！」と元気に鳴いた。

「この三頭、いただきます」

芳賀は、三頭を譲り受け、タロ、ジロ、サブロと名付けた。理由があった。

一九一〇年、日本陸軍の軍人白瀬矗（のぶ）は南極を目指した。二六頭のカラフト犬が乗船していたが、航海中に二四頭が死亡した。生き残ったのはたった二頭。名前をタロ、ジロといった。この時は南極を断念した白瀬中尉は、一九一二年、二度目の挑戦で日本人として初めて南極大陸に上陸。数十頭のカラフト犬も南極の雪原を踏んだ。

——お前たちも、頑張って南極まで行くんだぞ。

そういう思いが、名前に込められていた。

訓練の聖地・稚内市

稚内市は北海道本島の最北端にある。宗谷岬から樺太最南端まではわずか四三キロ。真北に宗谷湾・宗谷海峡を望み、東はオホーツク海、西は日本海と三方が海に面している。強い風が吹きやすく、最大風速一〇メートルを超える日が年に八〇日を超える。

一九五六年三月二〇日。郊外にある稚内公園内に、二つの手書きの看板が立てられた。

《南極学術探検隊　樺太犬訓練所》

《北海道大学　極地研究グループ　稚内研究所》

北海道中から選抜されたカラフト犬たちの訓練所である。稚内市が公園内の広大な敷地を貸与した。公園は高台にあり、海が一望できる。十分な積雪と寒さだけでなく、猛烈な風が吹く日が多い。この環境こそ、南極を想定した犬ゾリ訓練にはもってこいだった。

カラフト犬の飼育所（一〇八九平方メートル）と、管理所（四五平方メートル）が設置された。周囲には、病気感染の懸念から、他犬が侵入しないよう金網と板塀を張り巡らせた。管理所はバラック式で、極地研グループの学生らが交代で寝泊まりした。

飼育所には一頭ずつ犬舎が設けられた。といっても、三角屋根のように傾斜させた板一枚の素朴なもので、直射日光を防ぐ程度だが、野性味あふれるカラフト犬にとっては十分だった。

訓練所に集結したカラフト犬の第一陣は三八頭。寒さに強く、健康で、ソリを曳く力とスタミナを持つと期待された猛者ぞろいだった。その後、ふるい落とされて訓練所を後にする犬もいれば、新たに訓練に加わる新顔もいた。

稚内市。ここが、日本の南極観測の成否を決める聖地となった。

稚内市役所は全面的に協力した。訓練用敷地の提供のみならず、事務方の処理を引き受けるための市職員も派遣した。

市民の関心も高く、塀越しに「おい、頑張れよ」「日本の名誉、稚内の名誉だ。しっかりな」と声をかける人が絶えなかった。「犬に元気をつけさせて」と犬用食料を寄贈する人や、訓練に携わるメンバーへの差し入れも相次いだ。

国家的事業を担う北海道のカラフト犬たちは、稚内市民にとって期待の星だった。

ただ、極地研グループのメンバーの多くは北大の山岳部員やそのOBたち。カラフト犬や犬ゾリに詳しい人材はいない。専門家の確保が急務となった。

関係者が奔走し、樺太から引き揚げてきた後藤直太郎を専任講師として迎えた。後藤は樺太に住んでいた頃カラフト犬を飼育しており、犬ゾリを操る技術にも長けていた。

訓練所にやってきた後藤は、全道から集められた犬を一頭一頭見て回り、犬の履歴書に目を通した。樺太時代に犬ゾリ用の犬を訓練してきた後藤にとって、大きな気がかりがあった。

「ここに集められた犬たちの基礎能力は高い。ただ、これまでは飼い主の元でリヤカーや小さなソリを曳いていた一頭曳きです。南極での犬ゾリは多頭編成。つまりチームです。いくら個々の力量があっても、彼らは集団行動の経験がない。致命的かもしれない」

極地研グループは暗然とした気持ちになった。確かに学生たちが指示しても、犬たちは勝手な行動を取ることが多く、訓練は進んでいなかったからだ。

「言うことを聞かない犬が多いんですよ」

極地研グループの悩みに、後藤は即答した。

「優しく接することは大切です。しかし甘やかしてはいけない。彼らなりのルールがあるんですよ」

「何ですか、それは」

「序列です。犬同士の上下関係をはっきりさせることが大事なんです。どの犬も『俺が一番だ』と思っていますからね」

「じゃあ、どうすれば」

「喧嘩で決着」

極地研グループの学生たちは絶句した。

後藤のやり方は激しかった。いかにも仲が悪そうな犬同士を引き合わせる。鼻面にしわを寄せ、牙をむき出しにして狂暴なうなり声を上げる。やがて互いに襲い掛かり、相手の耳や鼻面、足に噛みつく。こうなると誰も止められない。血を流し合う闘いが続き、やがてどちらかが尻尾を巻けば、勝負あり。

ある時、喧嘩が長引いた。膠着状態だ。どちらも噛み合って譲らない。その時だった。後藤がいきなり太いこん棒を振り下ろし、二頭を殴りつけた。

「なんてことするんですか！」

驚いた学生が止めに入ると、後藤は言った。

「こうして引き離さないと、どちらかが死ぬまで戦う。彼らのプライドを守り、命を守るためです」

後藤は、二頭がおとなしくなるまで殴り続けた。

こん棒による序列決めが進むと、犬たちはポジションを認識したのか、確かに喧嘩は激減した。要するに、犬たちはいきなり集められ、自分の立ち位置がわからなくなっていた。チームワークがばらばらな原因はそこにあったのだ。

後藤はカラフト犬を熟知していた。学生たちはそのノウハウを実践で学んだ。餌を与える順番もそうだった。数十頭分の餌を準備して、一度に与えようとすると、犬たちは興奮し、収拾がつかなかった。後藤は、序列に従って餌を与えるよう助言した。

「最初は、先導犬です。彼から与えないと、犬たちも混乱する」

先導犬とは、犬ゾリの先頭に立つ犬のことだ。

「集団でソリを曳く犬たちは、先導犬に従って走る。自然と、先導犬こそがナンバーワンであることを認める。先導犬自身もプライドを持っています」

後藤の言葉には説得力があった。

「ソリを操る技術の習得も大事。しかし最も重要なのは、犬から信頼されることです。カラフト犬は誇り高い生き物です。忠誠を尽くすべきだと思えば死ぬまで走るが、信頼に値しない人間だと判断したら絶対に走りませんよ」

進むソリチーム編成

犬ゾリの訓練は徐々に本格化していった。コースは、稚内公園の裏山を中心に、四キロから六キロ。これを何周かする。終盤には二八キロの長距離訓練も実施した。

稚内に降る雪は、日によって雪質が変わる。すると、牽引力も大きく変わる。ソリの積載量が五〇〇キロでも楽に曳くこともあれば、三五〇キロでもへばってしまう日もあった。また、わずかな坂でも、犬たちの牽引力は大きく変動した。

南極でも雪質は変わるだろう。できるだけ短時間で積載量を変えるには、柔らかい雪質に変わったり、上り坂にさしかかったりしたら、人間がソリから降りてソリを曳くことだ。犬の牽引力を安定化する、こうしたノウハウを、学生たちは実践で学んでいった。

犬たちは、毎日三時間、平均一五キロを走った。最初は統率が取れず、蛇行したり、ソリが転倒したりが相次いだ。

それでも犬たちは耳を後ろに傾け、口から舌を出し、指示に従って懸命に走った。上り坂では、ハア、ハアという犬たちの荒い息が聞こえた。疲れ果ててうずくまる犬も出る。学生たちが走り寄り、励まし続けると、再び立ち上がってソリを曳いた。

「こいつら、すごいなあ」

学生たちの間に、犬への特別な感情が生まれつつあった。

三月二〇日から四月一〇日までの第一次基礎訓練で、先導犬の決定、犬の序列化、チーム編成が完了した。北海道旭川市の三上透逸さんから譲り受けたリキと、札幌市の目時ヨシさんから譲り受けた紋別（モンベツ）のクマが先導犬となった。方向感覚、危険察知能力、命令を聞き分ける賢さがあった。

一方、犬ゾリのチーム編成は、犬の癖や気性、犬同士の相性といった個体調査によって優秀と判断した犬をA、Bの二グループに分けた。

A班……リキ、アンコ、ゴロ、アカ、札幌のモク、テツ、デリー、トム、深川のモク、比布（ヒップ）のクマ他一頭。

B班……紋別のクマ、ポチ、シロ、ベック、ジャック、風連（フーレン）のクマ他五頭。

プロ野球でいえば一軍登録選手たちだ。全道から集められたため同名の犬が数頭おり、これらは名前に出身地をつけて区別した。この中には、最終的に外されて南極には行けなかった犬、南極までは行ったが病気などで日本にUターンした犬もいた。逆に、最初に編成された一軍メンバーには漏れたが、訓練で成果を挙げ、後からメンバー入りした犬もいた。

ある日、三頭の真っ黒な子犬が訓練所に到着した。芳賀助手が稚内市の魚市場で見つけたタロ、ジロ、サブロだ。

「こんな子犬なのに大丈夫か」

「訓練は無理だろう」

そんな声が出た。

芳賀は三頭に訓練させるつもりはなかった。ただ、若い血をグループに入れる必要性を感じていた。芳賀の直感が正しかったことは、すぐに証明された。

三頭の子犬を見て、後藤がうなった。

「こいつと、こいつ。この二頭はすごいカラフト犬になりますよ」

タロとジロだった。

「なぜですか？」

極地研のメンバーが尋ねる。

「生後三カ月のくせに、もう成犬と競って走ろうとする闘志がある。それに見てください、この太い足。分厚い胸板。呼吸のリズムもいい。とてつもなく生命力が強いですよ。二、三歳になったら、素晴らしいソリ犬になる」

後藤は太鼓判を押した。芳賀は、自分の直感が認められたようで、うれしかった。サブロは健康上の理由でのちに訓練犬から外されたが、タロとジロは残った。

後藤はタロとジロをすぐには犬ゾリ訓練に参加させなかった。しかしできるだけソリ訓練を二頭に見せた。

「こいつらは、訓練を見ているだけで、犬ゾリのノウハウを自然に覚えるでしょう。訓練に参加したらすぐに戦力になる」

その読みは当たった。

南極行きの切符

時間は少し遡る。一九五五年秋。北村は焦っていた。

「南極に行かないか。オーロラ観測ができるぞ」

恩師の長谷川・京大教授からそう言われたのはその年の夏だった。

北村にとって夢のような話だった。ところが、ブリュッセルから帰国した長谷川教授は南極の話をしようとしない。

「いったい、どうなってるんだ」

この背景には、大きな人事が関わっていた。同年秋、南極特別委員会が、国際地球観測年研究連絡委員会代表幹事の永田武・東大教授を、予備観測隊の隊長に指名した。連絡委員会委員長だった長谷川教授は、この人事に驚いた。東大の永田教授が隊長に決まったということは、京大が南極観測のイニシアティブを取るのは難しくなったということだ。こうした事態になるとは思わず、北村に気を持たせるようなひと言をかけた手前、長谷川教授は頭を抱えることになってしまった。

そんなトップ人事の影響など、一大学院生の北村にわかるわけがなかった。いつまでたっても長谷川教授が南極の話を切り出さないので、北村は思い切って聞いた。

「先生。私の南極行きは大丈夫ですかね」

「いや、事情が変わったんだ。もはや入り込む余地はないだろう」

長谷川教授の口調は、あきらめろと言っているようだった。

「そんな殺生な」

北村は焦った。このままでは南極行きの切符は取れそうにない。自分から動くしかない。あれこれ思い悩んでいるうちに、有力な情報が入って来た。日本学術会議副会長の桑原武夫京大教授が、西堀栄三郎京大教授を日本学術会議の茅誠司会長に紹介したことで、西堀教授が観測隊の副隊長に任命されるという。

桑原教授、西堀教授といえば、京大人文科学研究所の今西錦司らとともに、京大山岳部伝説の猛者である。北村にとってはいずれも山岳部の大先輩だ。しかも、西堀教授の妻は今西の妹。つまり今西は西堀教授の義兄にあたる。北村は、山岳部の先輩後輩という関係で、今西とはわずかながらつながりがあった。これは、まさに頼みの綱になるかもしれない。

「こうなればイチかバチかだ」

一九五六年三月。北村は、京都市の賀茂川のほとりにある今西宅を訪ねた。

「今西先生。私は南極に行きたいんです。厚かましいお願いですが、どうか、西堀先生宛の紹介状を書いてください」

頭を畳にこすりつけた。「帰れ」と言われても動かない。とうとう根負けした今西は言った。

「紹介状は書いてやる。しかし面倒はみない。あとは自分で切り開け」

それで十分だった。北村は紹介状を持って、すぐに上京。南極観測の人選や計画策定の指揮に追われる西堀に直当たりした。

西堀は突貫小僧のような北村に興味を持った。

一介の大学院生が、俺に直談判に来るとは、いい度胸だ。しかも、紹介状を書いた義兄の今西によると北村は京大山岳部の後輩という。

「北村か――この若造、案外見どころがあるかもしれない」

この頃には、稚内市での犬ゾリ訓練が始まっていた。

つかみ取ったチャンス

北海道とはいえ、四月になると稚内市の雪は消える。犬ゾリ訓練は草や土の上を走行する土ソリ訓練になった。訓練当初は犬同士が自分の立ち位置がわからず混乱した。しかし調教と訓練を進めるうちに、犬同士の融和が図れるようになり、自然とチームワークも整ってきた。

五月一一日から三一日まで、富山県の立山で南極隊総合訓練を実施することになった。ここにはまだ十分な雪がある。リキを先導犬に、風連のクマ、比布のクマ、アンコ、深川のモク、ゴロ、テツの七頭が参加。

立山から戻ると、七月中旬まで、先導犬候補は特別訓練を実施した。リキの他に、紋別のクマとベテランのテツを集中的に鍛えた。リキを失った時に備え、リリーフ役を作っておく必要があったからだった。

他の犬は、牽引力と耐久力をワンステップ上げるためのトレーニングを重ねた。稚内も夏場の七月は暑い。気温が上昇するにつれて、犬たちの食欲が落ち、体力の消耗が目立ってきた。人間も疲れが出てきた。訓練だけでなく、これだけの数の大型犬の世話をするのはかなり大変だ。もう少し人手が欲しい。訓練が始まって四カ月近くが過ぎようとしていた。

「もう七月だ。どうしたらいいんだ」

北村は、時間を作っては文部省や都内にある日本学術会議の南極観測準備室にいる西堀のもとに日参したが、西堀は一向に会ってくれない。「事務室で座って待っていろ」と言われ、延々と待ったあげく、結局会ってもらえず、がっかりして帰る日々が続いた。

北村がどれくらい待つことに耐えられるか。西堀が試しているとは思いもしなかった。

だが北村の焦りは頂点に達しつつあった。

「このままではどうにもならん。何か切り札を持たなければ」

聞けば、雪上車を運転するには資格が必要だというので、観測隊希望者の多くが免許を取るために頑張っているという。だが、自分が今から雪上車運転に取り組んでも、とても間に合わない。何か別の手を考えなければ……。その時ひらめいた。

「そうだ。犬ゾリを操る技術をマスターすれば、南極に行けるチャンスが広がるかもしれない」

だが、待てよ。稚内の樺太犬訓練所は北大の極地研グループが仕切っている。京大の自分が割り込む余地はないかも。

「八方ふさがりか」

北村はため息をついた。

同じ頃、西堀も悩んでいた。稚内での訓練報告を受けるたびに、西堀は、犬を操り、きちんと犬の世話ができる担当が重要だと痛感していた。

考えてみれば、数十頭の大型犬を飼育した経験がある人間など、南極観測隊の候補者にいるわけがない。しかもその世話は過酷だ。体力がないと無理だし、根気よく犬の世話ができる忍耐力も必要だ。すでに一人は犬係候補として念頭にあったが、もう一人欲しい。それも若いのがいい。

犬の世話をしている北大の極地研究グループは学生が主体だ。体力だけで選ぶならば問題はない。ただ、学生という点がネックになる。優秀な若者ではあるだろうが、研究者として南極に連れていくには若すぎてキャリアが浅い。南極観測は地球物理がメインであり、地球物理に関して一定の学問的成果を残す必要がある。犬の世話係と犬ゾリ操縦は専属ではない。あくまで研究との兼務なのだ。両方できる若い人材。それが、欲しかった。

西堀は、毎日のように自分を訪ねてくる北村を、ひそかに観察していた。西堀自身は多忙を極めていた。資材の統括、予算執行の手続き、南極観測船「宗谷」の改修具合の交渉や確認など、やることが山ほどあった。そんな中で、一人の観測隊志望者に会ってしまえば、次々に志望者が直談判にやってくるだろう。たとえ義兄の紹介状を持参しようと、特例扱いは許されない立場だった。

だから、あえて面と向かって会うことは避けながら、北村がどれくらい忍耐強く待ち続けることができるかどうかを、見定めていた。「待っておれ」と言われ、一日中椅子に座っている北村の頑固さが、案外気に入っていた。こういう忍耐力が犬係には欠かせない。

「北村か……よし、犬ゾリの訓練を受けさせてみるか。北大が受け入れてくればいいが」

西堀はダイヤルを回した。電話先の犬飼教授は承諾し、北村を訓練メンバーに追加することが決まった。

西堀は北大の寛容さに感謝し、すぐに北村の宿泊先に連絡を入れた。

「おい。今からすぐ、稚内に行け」

西堀の声を聴いた北村は、受話器を握りしめた。自分自身、犬ゾリ操縦をマスターすれば南極に行けるチャンスが増えると思ったものの、その前には北大極地研究グループという高い壁があった。その高い壁を、西堀が一本の電話でクリアさせてくれたのだ。北村は、自分の思い付きと、西堀の決断が偶然にも一致したことに感謝した。

だが、西堀は釘をさすのを忘れなかった。

「北大が受け入れてくれたから、君にもチャンスが生まれた。しかし、彼らはすでにカラフト犬について相当詳しくなっている。ソリの操縦術も上達しているだろう。今から君が頑張っても、届かないかもしれないぞ」

そうかもしれない。だが、とにかく扉が開いた。あとはやれるだけやる。

意気揚々と稚内に向かった北村だったが、現地に着いて、愕然とした。

これがカラフト犬？

「こいつらは、いったいなんだ。犬じゃないだろう」

列車、船、列車と乗り継いで、ようやく稚内市にたどり着いた北村は、小高い公園に設置された訓練所の前で立ち尽くした。

ちょうど食事時だったせいもあるだろうが、餌を早くもらおうと犬たちがぎゃんぎゃん騒ぎ立てている。それは、北村が知っている犬の吠え方ではなかった。まるで猛獣だ。

それに、この大きさはなんだ。熊じゃないのか。

餌をとられまいと互いに歯をむき出し、威嚇（いかく）する犬たち。カラフト犬って、こんなどう猛な連中だったのか。

「俺にはコントロールできそうもない」

北村は自信を失った。

翌日から、不安だらけの犬ゾリ操縦訓練と犬の世話が始まった。三月から来ている北大極地研のメンバーとは四カ月の経験差がある。北大の若手に負けてはおれない。だが、このどう猛な犬たちには正直負けそうだ。

　餌をやろうとすると、一頭が猛烈に吠える。

「うるさい。ちょっと待て」

　北村が怒鳴ると、犬はますます吠える。

「北村さん。あいつはリキといって、先導犬なんです。先導犬は誇りを持っている。だから餌は真っ先にやらないと」

　北大の極地研メンバーに注意された。

　なんだと。犬が誇りを持つ？　犬にそんな意識があるわけないだろう。

　犬とは無縁の人生を送ってきた北村にはわからなかった。

　訓練所に集められたカラフト犬は、北海道中から選抜されただけに、どれも立派な体格をしている。中には体重五二キロと、どう見ても子熊ではないかと思うほどの巨漢もいた。

　ペットなら愛嬌もあるが、こいつらは野生の本能が強い狂暴な連中だ。そう思い込んだ北村にとって、カラフト犬は恐怖だった。

　訓練所開設当初に比べれば、随分序列化も進んだとはいえ、感情的になるとすぐに喧嘩が始まる。北村は、カラフト犬調教師の後藤直太郎から「カラフト犬をコントロールするのはこん棒だ。鼻面を思い切り殴れ」と教えられた。どう猛なカラフト犬を人間が制御するには、力しかない。そう信じて、北村は殴った。

だが、よく観察すると、カラフト犬はこん棒で殴られたくらいで屈する犬ではなかった。確かに一時的におとなしくはなる。しかし、決して怯んではいない。殴られ、だらだらと血を流しても、目は死んでいない。「もっと叩いてみろ」。そう言っているような顔つきに、北村は気圧されるのを感じた。

訓練は徐々に成果を上げていった。

一般的な一〇頭曳きの犬ゾリの場合、積載量三五〇キロで一日の走行は二〇キロ程度だ。しかし、訓練所のカラフト犬はさすがに選抜されただけはある。積載量三七〇キロで一日平均二四キロを走破した。十分に除雪されたコースでは、なんと一〇三七キロもの重量をものともせず走行した。

「お前たち、すごいじゃないか」

これらの成績は、外国の犬ゾリ隊のデータを上回っている。カラフト犬の能力の高さに、訓練メンバーは感心した。

見送られた獣医師同行

九月から一〇月にかけての秋季訓練は、犬の能力判定と同時に、徹底した健康診断を行った。いくら能力があっても健康面で不安がある犬は南極に連れていけない。二〇頭のオスが、南極に帯同するソリ犬として決定した。

A班一〇頭……リキ（先導犬）、アカ（先導犬候補）、ベック（先導犬候補）、デリー、ポチ、アンコ、クロ、トム、タロ、風連のクマ。

B班一〇頭……テツ（先導犬）、紋別のクマ（先導犬）、ペス、シロ、ゴロ、深川のモク、札幌のモク、ジロ、ジャック、比布のクマ。

訓練所に来た当初は子犬だったため、訓練に参加させてもらえなかったタロ、ジロは、後藤の読み通り才能を発揮した。しっかりリストに名を連ねた。

またソリ犬としてではなく、ペットとして、あるいは子供を産ませるために、メスのシロ子とミネが追加され、合計二二頭がそろった。

犬の訓練と並行して進められたのが、犬ゾリの研究だった。これには芳賀良一や北大極地研の安藤久男が中心となって取り組んだ。

海外の資料を取り寄せ、日本人の体形やカラフト犬の特性を考慮して設計し、製作し、使ってみて改良を加えていく。重量物を積載する目的の大型ソリ、数人の人間が曳く中型ソリ、

二、三頭の犬で曳く小型ソリなどが試作された。

ソリの形態は、犬たちをどのような配列で編成するかに左右される。犬ゾリのフォーメーションは六種類ある。縦一列につなぐ一列型。左右に並べてつなぐ相曳型、互い違いにつなぐカラフト型、放射状に配置する扇型、変形扇型、独特の放射状のエスキモー（当時の呼称）型。

外国では相曳型が多い。犬の牽引力をそのままソリに伝える点では優れているが、雪が深いところでは犬の疲労が早い。カラフト型は一列型と相曳型の中間型で、深雪にも適した独特の型である。最終的にカラフト型が選ばれ、ソリもそれに合わせた形式に決定した。

保健衛生のチェックも厳しく行われた。北大獣医学部の中村良一教授、同じく寄生虫学が専門の山下次郎教授らが担当した。

実は、最終的に南極行きが決まった二二頭のうち、多くが心臓機能に異状があった。保健衛生グループは「獣医師か、せめて獣医学部学生が南極に同行した方がよいのではないか」と犬飼教授に進言した。

しかし、最終的に獣医学関係者の南極参加は見送られた。折衷案として、観測隊員の一人に犬の衛生健康管理の基礎である検温、検脈、消毒、皮下注射、投薬、傷の手当てを短期速成でマスターさせた。命じられたのは、総合訓練メンバーの一人で、北大極地研究グループの小林年だった。小林はベストを尽くしたが、専門獣医師と比べるのは酷な話だ。結局獣医師不在という決定が、越冬中にいくつかの悲劇を生むことになる。

一〇月。犬ゾリ訓練は完了した。

最初の頃は、どいつもこいつも「俺がナンバーワンだ」と言わんばかりに勝手な行動を取り、犬同士の喧嘩は絶えず、訓練の成果もなかなか上がらなかった。

しかし、犬同士の序列が固まり、チームでソリを曳く訓練に慣れるにしたがって、徐々に統制が取れていった。

すると、本来持っているカラフト犬の牽引能力が一気に花開いた。北海道選り抜きのメンバーである。海外のデータを上回る牽引記録を打ち立てた。北大の極地研メンバーたちは、七カ月におよぶ訓練の手応えを感じていた。

一〇月二九日。メスの子犬二頭を除く成犬二〇頭は、専用の犬箱に入れられ、国鉄の貨物列車に積み込まれた。目指すは東京。稚内を出発した列車は一一月三日早朝、東京の秋葉原駅に到着した。直ちにトラックで晴海ふ頭に移送され、その日を待った。

日本初の南極地域観測隊が出航するまで、あと五日。

南極観測船「宗谷」、出航

一九五六年一一月八日。日本初の南極地域観測隊員五三名を乗せた南極観測船「宗谷」は、霧雨の中、東京・晴海ふ頭を出航した。

敗戦から一一年、日本は軍国主義から民主主義へ大転換し、新しい国づくりが進みつつあった。南極観測隊は、平和な国ニッポンの象徴的な国家事業であり、国民の希望だった。それだけに、全国の大学、官庁、企業などから選り抜かれた科学者や技術者たちの意識は高く、強い責任感にあふれていた。一万キロ以上離れた未知の大陸・南極へ、気持ちは一丸となっていた。

宗谷は東京湾を出ると、一路南に進路を取った。船の揺れが徐々に大きくなる。北村は、同じ犬係である菊池徹（地質調査所）、小林年と協力して、犬の世話をしなければならない。

「犬たち、まさか船酔いしてないよな」

気になって、北村は第三船倉にある犬収容室に向かった。すると、犬収容室のドアに何か書いてある。

《ワン君ガンバレ。君たちの手柄を待っている。みんな元気で、必ず無事に日本に戻ってくるんだぞ》

白墨で、ドアに大書された文字。女性らしい流麗な筆致だった。

「いったい、誰が……」

北村は首を傾げた。宗谷が出航する前は、多くのＶＩＰや招待者が乗船したので、誰でも書くチャンスはある。文面からすると、おそらく愛犬家の誰かだろうが……。

実は、南極観測にカラフト犬を同行させることが発表されて以来、全国の愛犬家たちは犬を案じ始めた。その流れは徐々に反対運動となり、個人レベルから組織的になってきた。埼玉県在住の成瀬幸子さんを中心に「樺太犬を見守る会」が発足した。

「犬たちを南極から絶対に帰還させてください」

成瀬さんたちは熱心に嘆願運動を展開した。運動に賛同する波は愛犬家の枠を超えて、日本中に広がりつつあった。

理由があった。かつて、日本陸軍の軍人、白瀬矗が率いた南極探検隊は、南極から撤収する際に多数のカラフト犬を南極に置き去りにした。この「白瀬事件」は多くの日本人に衝撃を与え、苦い記憶となっていたからだ。

その事件が起きたのは一九一二年二月四日。白瀬は犬たちを南極に残したまま突然出航命令を発した。

何が起きたのか、犬たちにはわかるはずもなかった。置き去りにされた二一頭のカラフト犬たちは、無邪気に尻尾を振った。やがて、乗せてもらえないのだと悟ったのか、犬たちは氷雪に立ち尽くし、咆哮（ほうこう）した。人間に尽くした末に、犬たちは南極で見捨てられたのだ。

その事実を知る愛犬家の不信感は、ぬぐい切れなかった。

——また南極で同じ悲劇が起きるのではないか？

その事件の当事者が、晴海ふ頭で宗谷を見送る人々の中にいた。多田恵一。七四歳になった多田は白瀬南極探検隊の一人だった。白瀬の命令だったとはいえ、多数のカラフト犬を見殺しにしたことに苦しんできた。

「あんなこと、二度とやってはいかんぞ」

遠ざかる宗谷を見つめる多田の目は、そう語っているようだった。

蒼い南極

外海に出ると、宗谷は大きく揺れた。船酔いに苦しむ隊員が続出した。だが、二二頭もいる犬の世話は、北村、菊池、小林の犬係だけでは無理だ。餌を与えるだけでない。定期的に排せつさせることも重要だ。これは犬の健康管理に欠かせない。もちろん、可能な範囲で運動もさせなければならない。

そのために、天候を見計らっては、第三船倉にいる犬たちを階段を伝って甲板まで上がらせた。実のところ、これが大変な重労働だった。はしごのような階段を、数十キロもある犬を半分抱えるようにしながら上がり降りするのだから、危険も伴う。だから人手が必要だった。

他の隊員たちも、協力を惜しまなかった。南極観測を成功させるには、この犬たちが絶対に必要だ。その意識は全員に浸透していたからだ。

狭くて暗い船倉から、明るい陽光が降り注ぐ甲板に出されると、犬たちは大喜びだった。大海原を見ながら、気持ちよさそうに思い切り排せつする。ぴかぴかだった甲板は、たちまち犬たちが出したもので汚れてしまう。

「まったく、すごい量だな」

あきれながら水で排せつ物を流し出す隊員をしり目に、犬たちは甲板の上をうれしそうに動き回る。犬が船から落ちないように気をつけなければならない。海に落下したら、もう助けることはできないのだ。

宗谷はフィリピン沖を通過し、南シナ海で台風に遭遇した。宗谷は揺れに揺れ、最大四五度も傾いた。シンガポールを経てマラッカ海峡、そしてインド洋へ。波は静かにはなったが、今度は灼熱の太陽が隊員と犬たちの体力を奪った。

一二月、南アフリカ連邦（現・南アフリカ共和国）のケープタウンに入港。ここを出ると、最大の難関が待ち受けている。猛烈な暴風圏だ。宗谷の傾きは最大六三度に達した。人も犬も、のたうち回った。当然食欲は落ち、犬の体重はがくんと落ちた。

明けて一九五七年一月四日。宗谷は初めて海に浮かぶ氷山に遭遇した。

「ガーピー」

けたたましい音とともに船内アナウンスが流れる。

「氷山を確認」

「おお、ついに！」

隊員も船員も一斉にデッキに出る。南極大陸がすぐそこに迫っている。目の前には、うわさに聞いた青く四角い形の卓状氷山。南極氷山特有の不思議な色と形だ。

南極の氷は降った雪が固まったものだ。氷の内部に気泡が多いうちは白く見えるが、長い年月をかけて圧縮され、凝縮されていく。限界まで固まると、気泡がない氷が生成され、気泡がないと透明度が高くなる。この南極の氷に光が当たると、長い波長の赤色などは吸収され、短い波長の青色だけが氷の中を貫通して反射する。青色だけが反射して人間の目に入るので、南極の氷は青く見えるのだった。

「とうとう、ここまで来たか」

「あの青い氷を取ってきて、オンザロックで一杯やりたいな」

隊員たちは武者震いし、笑顔がはじけた。

犬たちも、気温が下がって一気に元気を回復した。

だが、ここに至るまでに、不運な犬もいた。メスの子犬ミネは、宗谷の階段から転落して重傷を負った。また、高齢のため、当初から体力が懸念されていたトムと札幌のモクは航海中に病気がちになった。医師は「南極での活動は無理」と判断した。

稚内市での厳しい訓練に耐え、荒波に苦しんで、ようやく南極まで来た三頭は、活躍する場を与えられず、そのまま帰国することになった。

その後、札幌のモクは日本に向かう途中で死亡。南極に向かった二二頭のカラフト犬の、最初の犠牲犬となった。

運命の越冬隊員発表

一九五七年一月二〇日。南極観測船「宗谷」は、南極リュツォ・ホルム湾のオープン・シー（開水面）南端に到達した。気温もぐんぐん下がり、隊員たちの声も弾む。

「ついに、南極に来たんだな」

「この寒さで実感しますね」

甲板に上げられた犬たちもうれしそうに動き回っている。

宗谷の前方は平坦な定着氷が広がっている。分厚く、まるで氷の陸地に見える。しかしその下は南極海である。定着氷のかなたに南極大陸の山肌が見える。

基地の建設ポイントを探すため、永田武隊長と西堀栄三郎副隊長は、宗谷に搭載した小型機「さち風」で飛んだ。その夜、総員集合がかかった。

集まった観測隊員に、永田隊長が偵察報告する。

「大陸沿岸の大半は、高さ二〇メートルから五〇メートルの断崖。したがって上陸は困難。しかしラングホブデ地区から北のオングル島には、若干の希望がある」

「おお」と、どよめきが起きる。オングル島は南極海に浮かぶ島であり、南極大陸ではない。しかし大陸との間に広がる海は完全に凍っており、南極大陸への往来に問題はない。越冬を行う最低条件は基地建設。オングル島に行ければ、その可能性はありそうだ。

隊長は続けた。

「基地建設ができて、越冬条件が整った場合は、西堀副隊長を越冬隊長として、次の一〇人を越冬隊員とする」

——えっ、今発表するのか？

心の準備はしていたつもりだったが、いざその時が来ると北村の胸は高鳴った。

「どうか選ばれますように……」

永田隊長は、淡々と越冬隊員を発表していった。

「中野征紀（医療）、藤井恒男（航空・報道）、立見辰雄（地質）、大塚正雄（機械）、菊池徹（地質、犬）、砂田正則（調理）、作間敏夫（通信）、村越望（気象）、佐伯富男（設営）、北村泰一（設営、犬）」

——呼ばれた！　間違いなく「北村泰一」と呼ばれた。

選ばれたら天国、落ちれば地獄。実は、もし選ばれなければ宗谷から脱走してでも南極に残ろう、とまで北村はひそかに思い詰めていた。スヴェアというスウェーデン製の携帯石油コンロと、ツェルトという緊急野営用の簡易テントを手に入れ、隠していた。一週間分の乾燥肉と鰹節一本も。脱走用一式だ。

脱走は許されることではない。学者人生の幕を自分で下ろすことになるだろう。どう考えても無茶だった。結果的にメンバーに選ばれたことで実行はせずにすんだ。毎晩思い悩んだのが嘘のように、あっけなく北村のメンバー入りは決まった。もちろん、「越冬可能なら」という条件付きではあるが。

「日本代表だ。頑張れよ」

それぞれ複雑な感情はあっただろうが、選から漏れた隊員たちからは拍手が沸き起こった。

犬ゾリの初陣

南極の海氷は二種類ある。白い海氷と青い蒼氷だ。白い海氷は固まって一年程度なので比較的硬くない。宗谷でも破砕しながら前進できる。しかし固まって何年もたった蒼氷は強い圧力によって非常に硬くなっており、馬力がない宗谷にとっては難敵だ。

一月二四日、宗谷は蒼氷にぶち当たった。

「こいつは、やっかいだぞ」

「フルパワー！　全速前進！」

艦橋から指示が飛ぶが、硬い蒼氷はびくともしない。基地建設候補地のオングル島を目の前にしながら、宗谷は、もはや前進できなくなった。

「ここまでだな。ヘリでオングル島まで飛ぼう」

西堀越冬隊長は自ら空中探査を行い、ようやく適地を見つけた。広い平坦地で、真水もありそうだ。「N基地」と名付けられた。

「問題は、宗谷の位置からオングル島まで問題なく行けるかどうかだ」

永田隊長の指示で、犬ゾリ二チームが氷状調査に出発することになった。

初陣だ！　北村は高ぶった。宗谷からオングル島まで直線で一八キロ。稚内市で毎日数十キロの走行訓練をした犬たちだ。何の問題もないだろう。

だが、長い航海から氷上に下ろされた犬たちは興奮している。暴れん坊の風連のクマが、指示を無視して走り出した。他の犬が混乱する。

「こらっ、クマ。だめだ！」

北村が叫ぶが、なかなか収拾がつかない。

ようやく犬たちの興奮がおさまり、大幅に遅れて出発となった。

先行ソリの先導犬は、当然リキだ。ところが予想外のことが起こった。リキが動かない。戸惑っているのか、そわそわしている。自信なさ気に北村を見上げる。

「どうしたんだ、リキ。大丈夫だよ。さあ行こう」

北村はリキの喉元をなでてやった。

「トゥ！（前進！）」

菊池が掛け声をかけると、リキは走りだした。しかし、一直線に走れない。蛇行している。

こんなことは、稚内での訓練後半では一度もなかった。

悪いことに気温が高くなっていた。このため海氷の一部が融け、パドルという水たまりがあちこちにできていた。リキ単独であれば危険を回避しただろうが、犬ゾリではそれが難しい。

リキはソリの勢いに押されるように、パドルに突っ込んだ。

ソリはずぶずぶとパドルに沈み込む。深くはないのだが、犬たちやソリを引き上げるのが大変だ。犬も人も冷たい海水でずぶ濡れになった。

犬たちは、たちまち疲れた。おびえている犬もいる。犬ゾリは走っては落ち、引き上げてはまた落ちる。どうしようもない。しかも、犬ゾリが進んだ後には赤い血が点々とにじんでいる。

三カ月近い長い航海で、屈強なカラフト犬も運動不足に陥っていた。硬い肉球も柔らかくなってしまった。南極の海氷面は固く尖った場所が多い。いきなりそこを走ったことで、犬たちの肉球はたちまち破れ、出血したのだった。

それでも犬たちは悲鳴一つ上げず、走った。

——なぜ、真っすぐ走る能力が秀でているリキが蛇行したのだろう?

北村にはそれが不思議だった。その理由は後日わかった。

稚内市の訓練地は、トレーニングを重ねるうちに轍（わだち）のような「走行路」ができた。犬たちにとっては、それが走る際の目印になった。しかし、真っ平らな南極の海氷面に、道などない。三六〇度、ほとんど同じ風景だ。

試してみると、北村でも真っすぐ歩くのは難しかった。人間よりも目の位置が低い犬にとっては、なおさら条件が悪い。

だが、リキのすごさは失敗を学習することだ。確かに、初めは周囲の環境に戸惑い、蛇行してしまった。しかしよく観察していると、リキの蛇行は次第に少なくなり、パドルに落ちるケースもだんだん減っていった。わずかな間に、リキは学習したのだ。

たとえ「真っすぐ行け」と合図していたとしても、リキは自分の判断でカーブを切る。もし直進したら、その先にはパドルが待っている。そのことを察知できるようになった。

とはいえ、犬ゾリ全体としては、観測隊が期待した快走には程遠かった。

隊員不在の上陸式

想定外の事態に観測隊は焦った。国家の威信がかかっているのだ。膨大な予算、政府の面子(めんつ)、何より成功を待ちわびている国民の期待。

一月二九日、永田隊長は自ら雪上車に乗り込み、オングル島に向け出発した。何としても南極に「日本」の足跡を残さなくてはならない。N基地に到達した永田隊長は、基地建設は可能だと判断。ヘリコプターと飛行機で宗谷の船長らを招集し、幹部たちだけで上陸式を敢行。日章旗を掲げ、「N基地を昭和基地と命名する」と宣言した。

実はその後の昭和基地は、「N基地」とはまったく違う場所にある。N基地を昭和基地と宣言したものの、資材運搬が困難など、立地的に問題があったのだ。このため昭和基地は別の場所に変更されたが、六〇年以上たった今も、多くの日本人は上陸宣言をしたN基地こそが昭和基地だと思っている。

越冬隊員がそろっていないという特殊な状況下ではあったが、ともかくも上陸宣言をしたことで永田隊長は安堵した。確かな一歩を南極に残したのだ。しかし、上陸式に参加できなかった越冬隊員たちは無念の気持ちがぬぐい切れなかった。それは不信感に近い感情だった。

実は、隊員たちに不信感を抱かせるような出来事が、南極に向けて出航する直前の会合でもすでに起きていた。隊員たちが宣誓書への署名を求められたのだ。

冒頭に、こう書いてあった。

《宣誓書　南極地域観測隊に忠誠を尽くし、隊長の命令に服従する事を誓います》

あとは白紙だ。

「軍隊用語には抵抗があるなあ」

「過剰反応する必要はないよ」

いろんな声が聞こえた。

日本として初めて挑戦する南極観測。その行く手に何が待ち構えているのか、想像もできない。隊員の安全を図り、任務を遂行するためには、厳しい規律が必要だという考え方があったのかもしれない。

縦一九センチ、横一五三センチ。誰のアイデアなのかわからないまま、宣誓書は現在、国立極地研究所（東京都立川市）に保存されている。

こうした多少の不協和音はあったものの、昭和基地への物資輸送は順調に進んでいた。だが、二月一一日は天候が不安定だった。

突然、宗谷の船内アナウンスが絶叫した。

「氷が流れている。総員、氷上の物資を確保せよ」

宗谷の周囲には、船卸ししたばかりの膨大な荷物が山積みされている。

「いかん、犬たちが氷の上にいる」

北村は蒼白になった。慌てて船外に飛び出す。

犬たちは、割れやすい白氷の上だ。

「だめだ、だめだ、だめだ」

北村は絶叫しながら走った。

犬たちが乗っている氷が、今にも割れそうな気がした。割れてしまったら、氷は犬たちを乗せたまま沖合に吹き流される。そうなったら終わりだ。

「おーい。犬たちを助けてくれー」

北村の叫びに気づいた隊員たちが、犬たちに駆け寄る。なんとか安全な場所に移動させることができた。

その直後、さっきまで犬たちがいた氷盤が割れた。氷盤はゆっくり流されていった。

「危なかったなあ」

この事件で、一九頭の一二日分にあたる犬用食料が流水上に残されたまま、流されてしまった。しかし、最も大事な犬たちはみんな無事だった。

遠ざかる氷盤を見つめながら、隊員たちは不思議な興奮を覚えていた。

全員で犬たちを救ったことで、隊の雰囲気が変わった。出航前の宣誓書事件。南極到達時の上陸式事件と、波風が立ったこともあったが、犬を失いかねない重大危機を一丸となって乗り越えたことが、隊員たちの心を一つにした。

第二章　越冬

（一九五七年二月～一二月）

ボツンヌーテンへ。
前にそびえる雪の壁

壮大な光のカーテン

第一次越冬開始時の昭和基地は、パネル式家屋三棟と、かまぼこ型の発電棟が一棟。家屋棟のうち、無線棟には越冬隊長の西堀、通信担当の作間、気象担当の村越。主屋棟兼食堂は、医療担当の中野、調理担当の砂田。居住棟には地質担当の立見、地質と犬係の菊池、設営担当の佐伯、設営と犬係の北村、機械担当の大塚、航空・報道担当の藤井という部屋割りだ。

といっても、ホテルのような完全個室になっているわけではない。ろくな間仕切りもなく、荷物も散乱状態の中に、ベッドだけがある。

それでも、とにかくここが、一年を過ごすマイホームだ。

建物の外は、都会の喧騒もなく、田んぼを吹き渡る風の音もない。完全な静寂の世界。越冬最初の夜は静かに過ぎた。

メスのシロ子を除き、一八頭のオスのソリ犬は建物の外で起居した。「凍えてしまうんじゃないか」と心配する隊員もいたが、まったくの杞憂（きゆう）だった。

犬たちは広々とした戸外を好んだ。器用に雪穴を掘り、潜り込む。その方が居心地よいのだろう。

だが、犬を戸外に係留するとなると、管理は重要である。万一逃げ出してしまったら、犬ゾリ探査に支障をきたすし、逃げた犬の命も危ない。

北村と菊池は、基地の近くに二本の柱を立て、両端を一本の太いワイヤーロープでつないだ。このロープを主綱にして、犬たちを二、三メートルごとに鎖で係留した。毎日、ここまで犬たちの餌を運び、体調をチェックする。犬ゾリ探査が始まるまでは、南極の気候に犬を慣れさせることだ。

犬の世話が終われば、自分の研究テーマに取り組める。北村は設営担当となっているが、研究もある。地球物理研究の中でオーロラをメインテーマにしていたが、実際にオーロラを見たことはなかった。だからこそ、南極に行きたかったのだ。

現在では、太陽風、地球の磁場、大気の酸素元素など、発生のメカニズムがある程度解明されつつあるが、いまだに不明なことが多い。まして、二〇世紀半ばにおいては、オーロラの研究はほとんど進んでいなかった。

初めて見た本物のオーロラは神々しかった。うっとりと見とれてしまい、研究が目的であることを一瞬忘れてしまった。それほど、壮大で美しい光のカーテンだったのだ。

観測できる時期は限られていた。また、八時間も乱舞するときもあれば、わずか一時間で終わることもあった。出現時間も規模も色合いも、不規則だった。しかし、若さに任せて、北村はオーロラ観測に明け暮れた。他の隊員たちが寝静まっている間の観測だが、まったく苦にならなかった。

「俺は今、日本人として初めて、南極でオーロラを観測している」

その興奮は、何ものにも勝った。ただ、犬たちは違った。寒さも雪も平気なカラフト犬たちだったが、夜空にオーロラが舞うと、耳をピンと立て、警告を発するかのように夜空に向かって激しく吠えた。

天然冷凍庫

第一次越冬隊の活動は順調だった。

創意工夫が得意な西堀隊長は、乏しい物資を利用したさまざまなアイデアを出した。トラブルが発生しても、そのあたりにあるもので、とりあえずなんとかしてしまう。隊員たちは感心した。夜になると、西堀の豊富な極地経験に、皆が聞き入った。

そんな中、隊員にとって大変なトラブルが起きた。

五月八日。調理担当の砂田隊員が、血相を変えて食堂に飛び込んできた。

「どうした」

いつも冷静な西堀も、砂田の形相にびっくりした。

「冷凍食が、だめになっています」

「なんだと！」

西堀の表情も一気に険しくなった。

昭和基地には、氷雪を深く掘って冷凍食品などを収納した「天然冷凍庫」がある。そこには一一人の隊員用の冷凍食が納められている。毎日の食事に冷凍食は欠かせない。簡単に食料の補給などできない南極で、食料を失うことは大事件だった。西堀たちは、あわてて天然冷凍庫に駆けつけた。

食材の一部が海水に浸かり、いくつかの食料は半ばどろどろになっていた。隊員たちは、総がかりで段ボール箱を開梱し、中にある肉や魚の状態を調べた。腐ってはいないが、海水漬けでは食べられそうにないものが多い。全員が呆然となった。

天然冷凍庫は、越冬隊にとって重要施設だった。氷雪を掘って大きな氷の洞を作り、底部に冷凍食品を保存する。できれば基地のすぐそばに作りたかったのだが、基地近くの氷雪を掘ってみるとすぐに岩盤に達してしまった。深く掘れないのでは冷凍効果が薄い。

仕方なく、基地から一〇〇メートルから二〇〇メートルほど離れた海岸近くに作ることにした。海岸といっても表面に海水があるわけではなく、数メートルの分厚い海氷になっている。巨大な氷の塊だ。いくつか試掘し、最終的にタイドクラック沿いに掘った二つの氷洞を、天然冷凍庫として利用することにした。

タイドクラックとは、潮の干満の影響で陸地と海の間に生じる氷の亀裂のことだ。その幅は、五〇センチになることもあれば、ぴったりと閉じたような状態になることもあった。

天然冷凍庫は二つ。一つは、海氷を削って作った階段を降りると、深さ三メートルの地点が最下部。面積は幅一・九メートル、奥行き一・八メートル。高さは一・二メートル。

もう一つは、深さ二・四メートル地点が最下部で、幅一・五メートル、奥行きは二・九メートルあった。周囲にクラックがあるため、これがぎりぎりの大きさだった。

内部の氷壁や氷床に断熱材を貼る案もあったが、その分スペースが減ってしまうため、海氷むき出しのままで利用することになった。

入り口には雪氷で簡易的なふたをした。最初のうちは、入る時は雪のふたを壊し、食材の運び出しが終わったら再び雪でふたをした。ある時、ふたをするのを忘れた。すると、ふたをしなくても、そのせいで内部温度が上がるわけではないことがわかった。それからは、ふたをしないことが多かった。温度が上がらないのなら問題はないし、南極に泥棒はいない。

利用しているうちに、もう少しスペースが欲しいという声が出た。そこで、階段横の氷壁部分を掘って、若干の食料を保管できる横穴を作った。ここを上部と呼び、元からあった底部を下部と呼んだ。

穴の中は四方とも完全に凍った硬い海氷であり、思った以上に冷凍効果はあった。

　ところが、砂田の連絡で駆け付けてみると、深さ三メートルの方の天然冷凍庫がやられていた。底部の一部から海水がしみ込んでいたのだ。氷洞の周りにある海水が、知らぬ間にじわじわと浸入し、底部に溜まってしまったのだった。貴重な冷凍食品の一部が海水漬けになった。ステーキ用の牛、豚、ハム、ソーセージ、ベーコン。貴重なたんぱく源がむなしく浸っていた。

　一般的に、人が一日に必要なカロリーは、デスクワーク中心なら男性で二二二〇キロカロリー、女性で一六八〇キロカロリー。アスリートの場合は四〇〇〇キロカロリーから五〇〇〇キロカロリーとされる。

　ところが南極では一日四三〇〇キロカロリーと、アスリート並みのカロリーが必要になる。とてつもなく厳しい自然環境での作業を強いられるため、生理学的な運動量が大きくなり、エネルギーの消耗が激しいためだ。

　だから、例えば夕食に出るビーフカツは草鞋（わらじ）のように大きい。しかも、この巨大なビーフカツを、五四歳の西堀隊長ですら、ぺろりと平らげる。

　冷凍、缶詰、乾燥食品。いろいろな食材があるが、やはり人気は冷凍食品、特にステーキだった。今でも高級料理だが、当時の日本で、毎日のようにステーキを食べられる人は少なかった。

　食べ物は生命維持に必要だが、それだけではない。南極のような極限の地では楽しみが少ない。美味しい食事は、隊員たちの活力を生み出す重要な物資だった。

冷凍食品の保存には当然冷凍庫がいる。南極観測が本決まりし、食材の保存をどうするかが真剣に検討された。当初は「南極は自然の冷凍庫でしょう。雪の下に埋めておけばいい」という考えが支配的だった。

真っ向から否定したのが西堀隊長だ。西堀は米国視察で得た知見を披露し、電気冷凍庫を物資リストに加えさせた。それなのに結局、昭和基地には電気冷凍庫は設置されなかった。

砂田はのちに「電気冷凍庫は南極まで持ってきたのだが、それを取り付ける設備がなく、やむなく食材は氷の穴の中に入れた」という内容のことを述べている。電源系統がそろっていなかったためという説もあるが、はっきりとはわかっていない。

とにかく、電気冷凍庫は使えない状況だった。ならば氷を掘って、天然冷凍庫を作るしかない。選択の余地はなかった。

「俺の責任だ」

西堀隊長は、肩を落とした。

だが、こう続けた。

「この俺でも、失敗することがある。南極では、このことを忘れてはいけない」

「この俺でも」という言い方を、傲慢に感じる人もいるかもしれない。だが、西堀隊長の過去の実績を知る者には、まったく違和感はない。西堀ほどの熟練者でも予想できないことが、確かに南極では起きるのだ。

食卓の危機

この日を境に食卓は一変した。

「食べられないことはないだろう」と、九日の夕食に海水漬けになった冷凍鶏肉を調理して出したが、臭いがきついらしく、誰も手をつけない。砂田は落胆した。

別の日に出したボイルドチキンはよく食べてくれたが、キハダマグロは不評だった。腐ってはいないが、味がないらしい。

こうなると、肉類は缶詰が主体だ。食材が限定されては、砂田も腕の振るいようがなかった。

事件以前は、豪華な食事を楽しんだ。

二月二七日は立見隊員の誕生日だった。夕食パーティーだ。オードブル、スープ、焼き豚、ローストチキン、栗の詰め物、甘鯛酢煮、鯛焼き魚、カニご飯、野菜盛り合わせ、紅茶、バースデーケーキ。

三月一五日は越冬一カ月記念パーティー。オードブル、コールドチキン、栗の詰め物、豚肉の甘酢煮、鯉の丸揚げ、鯛の塩焼き、野菜の付け合わせ、パン、紅茶、デザートフルーツ、アイスクリーム。

もはや、豪華なディナーは望むべくもなかった。

「不味(まず)いなあ」と不平を言う隊員はいないが、「おいしい」とは誰も言わない。隊員の笑顔を楽しみに料理を作ってきた砂田隊員のプライドは傷ついた。

砂田は滋賀県の琵琶湖畔で生まれた。小学校を出ると満州（現中国東北部）に渡り、独学で現地の料理法を学んだ。しかし敗戦。すべてを失って引き揚げ、滋賀県大津市のブラジル会館で主任調理師として働いていた。南極観測隊の調理師募集を知った時、辺境の地・満州の大地で必死に生きた記憶が脳裏を駆け巡った。

「南極は究極の辺地だ。そこに日本のすごい研究者が集まる。俺は料理の腕で南極事業に貢献したい」

砂田は南極越冬の料理人として、あらゆる準備をしてきた。そのためには豊富な食材が必要だった。それが、ほとんどだめになった。やる気が失せたのも無理はない。

この天然冷凍庫事件について、中野隊員（帯広厚生病院）は医師の立場から憂慮していた。冷凍肉類は海水漬けになってしまったが、食べ物は他にもある。飢えることはない。しかしバランスが取れた食生活が不可能になれば、隊員たちの健康状態が悪化する。もし重篤な状態に陥ったらどうするのか。

「これは、とんでもない危機だぞ」

中野は思ったが、口には出さない。言ったところで新鮮な肉が手に入るわけではない。いたずらに隊員たちの不安を煽り立てるだけだ。

――頼みの綱は薬品だが……。

中野は懸命に保存薬品を調べた。そして、栄養補給の観点から役に立つ薬品を見つけ出した。中野は両手に薬を抱きかかえ神に感謝した。

これで、健康を大きく損ねることはない。隊員たちには「栄養剤だ。飲んでおいてくれ」とフランクな調子で薬を服用させた。中野の冷静沈着な対応がパニックを防いだ。

死活問題となった天然冷凍庫事件。隊員たちは、難を逃れた食料を安全な場所に移した。海水漬けになった冷凍肉や冷凍魚は残置した。臭いがきつく、どうせ食べられない。

降って湧いた騒ぎを、カラフト犬たちは興味深そうに眺めていた。人間が右往左往するのが面白いのだろうか。飽きることなく、人間の作業を見つめている。

「まったく、犬はのんびりでいいなあ。大変なことになっているというのに」

隊員の一人がため息をついた。

「それにしても、この海水漬けの牛肉。アザラシの肉の臭いと一緒だな」と隣の隊員が鼻をつまむ。

「もしかして犬なら、海水漬け肉でも食うんじゃないか？　アザラシの生肉ですら、喜んで食べるんだから」

それは本当だった。一次越冬の準備中、宗谷（そうや）から荷下ろししている最中に定着氷が割れ、幸いなことに犬たちは無事だったが、犬たちの食料が一部流されてしまった。そのため、犬たちの食料不足を補うためにアザラシを捕獲し、生肉を犬に与えることにした。

人間には臭くてたまらないアザラシの生肉は、カラフト犬たちの大好物だった。猛烈な悪臭を発するアザラシの臓物ですら、犬たちは、がつがつ食べた。ためしに海水漬け肉を犬に与えてみると、喜んで食べた。

第二の先導犬

犬ゾリ訓練を続けている北村と菊池は悩んでいた。先導犬の絶対的不足が深刻になってきたのだ。

短距離の犬ゾリ探査であれば、先導犬はリキ一頭でも問題ない。しかし長距離になると、先導犬は交代させる必要がある。先導犬は負担が大きいからだ。

もちろん、そうした事態を想定して、リキの他に、テツと紋別（モンベツ）のクマが先導犬に、アカとベックが先導犬候補に決まっていた。彼らも、稚内（わっかない）での訓練では十分な能力を発揮していた。

しかし南極は手ごわかった。

三六〇度同じ景色のためか、紋別のクマは蛇行を繰り返した。テツは高齢のためか、すぐにへばった。ベックは体調不良が続いている。アカは協調性が乏しく、先導犬には不適であることがわかった。

野球でいえば、先発エースはいるが、後をつなぐリリーフ陣が全滅状態。これは誤算だった。

カラフト犬研究の権威、北海道大学の犬飼哲夫教授は、カラフト犬の主な性質として三点挙げていた。

①人間に極めて従順である。
②協同性が強い。
③帰家性や方向感覚が鋭敏である。

北村たちは、犬飼教授の指摘が正しいことを南極で実感していた。

風連（フーレン）のクマや比布（ヒップ）のクマは暴れん坊だが、人間を襲うことはなく、指示もよく聞く。ゴロ、ペスなどは特に協同性が顕著（けんちょ）で、喧嘩（けんか）もせず力を合わせるようにソリを曳（ひ）く。紋別のクマも、リキには劣るものの方向感覚が鋭く、片鱗（へんりん）を感じさせた。

問題はチームワークだった。

リキが先導しているときはよいのだが、他の犬と交代させると、途端に後続の犬の動きがばらばらになり、ソリは安定感を失った。

先導犬は、御者の指示通りに正確に走りながらも、周囲の状態を察知し、自分の判断で速度を速めたり、危険エリアを回避しながら後続の犬たちを誘導する。そうして安全ルートを走るのだ。

リキならできることが、他の犬にはできなかった。

基本的には、御者の命令を瞬時に理解し、実行する。命令は四種類。

「トゥ！（進め）」、「ブラーイ！（止まれ）」、「カイ！（右へ行け）」、「チョイ！（左へ行け）」。

特に「トゥ！」と「ブラーイ！」は重要である。

ブリザードや雪崩（なだれ）のような危険が迫った時は、「トゥ！」の合図でどの犬より早く立ち上がり、移動を開始しなければならない。

逆に、眼前にクレバスや危険な急傾斜が迫った時は「ブラーイ！」ですぐに停止しなければ、犬ゾリもろとも危険な場所に突っ込んでしまう。

もちろん、前方の危険物に対し、左右どちらかに回避するケースもあるから「カイ！」も「チョイ！」も聞き分けてくれなければ、ソリはまともに走れない。

先導犬の命令反応速度は、犬ゾリ全体の安全に直結する。この点で、リキの先導犬としての能力には、菊池も北村も舌を巻いた。

命令に素早く反応し、迅速に動く。というよりも、命令を出す前に「もうすぐ止まれの指示があるな」「そろそろ出発だな」という予測をするようだ。つまり人間をよく観察している。人間の心を読もうとする。

だからソリ全体の動きが俊敏で、切れがよい。リキが先導している時の犬ゾリはスポーツカー。そうでないときはポンコツ車。これが現実だった。

しかし、リキだけに頼るのはリスクがある。リキが病気や事故に遭ったら、犬ゾリの利用は大幅に制約されるおそれがある。どうしても、もう一頭の先導犬が必要だった。

先導犬ナンバーツーの紋別のクマには期待していた。国内訓練では十分な先導能力を示していたからだ。二チーム編成の場合、主力のAチームの先導はリキ、サブのBチームの先導は紋別のクマがつとめた。紋別のクマはリキよりも大きく、体力もあるので、長距離走では、Bチームが Aチームを凌駕（りょうが）することもあった。ところが南極に来て大スランプに陥っていた。自信をなくしている。

北村は、国内訓練での結果にこだわらず、別の犬を試してみたらどうかと提案した。西堀隊長も同意した。

「そうだな。稚内ではだめでも、南極ではマッチすることもあるかもしれんな」

西堀も、長距離探査のためには複数の先導犬が必要なことを理解していた。

早速先導犬のテストが始まった。若いシロを選んだ。従順で利発なところを買ったのだ。テストの際は、犬ゾリの前に北村が立ち、目標に向かって一直線に走る。テスト先導犬が真っすぐ追ってくるように、ガイドする役目だ。

この担当はつらかった。防寒具を脱ぎ捨て、シャツ一枚で走る。苦しい。先導犬テストを繰り返しているうちに、ほぼ真っすぐ走れるようになった。シロは頭角を現してきた。回を追うごとに、ほぼ真っすぐ走れるようになった。あとは、人間が前にいなくても、自力で直進できるようになればいいのだが。

その日も、テストが続いていた。かなりの距離を走り続けた北村は息が上がってしまった。

「もう無理だ」

思わずその場に座り込んだ。後ろから一直線に追ってきたシロが、ちらりと北村を見る。

「休憩、休憩」

荒い息を吐きながら、北村はシロに手を上げた。

ところが、シロは停止しなかった。そのまま北村を追い抜く。そして真っすぐ走っていくではないか。ガイドもないのに。

「えっ?」

シロは迷うことなく突き進んでいく。菊池も驚いた。

一度成功するとシロは完全に自信を持った。直進する能力はリキに比肩するまでになった。

シロの自信は、後続の犬たちにも伝わった。

最初の頃、シロが先導ポジションにつくと、後続の風連のクマやデリーは勝手に動こうとした。「若造が偉そうに」と、なめていたのだろう。あるいは嫉妬したのかもしれない。

ところが、この猛者(もさ)たちがシロに付き従うようになった。シロを先導犬と認めたのだ。

北海道利尻(りしり)島にある寒村からやってきた二歳のカラフト犬は、第二の先導犬の地位を得た。

もうすぐ五月が終わり、すぐに冬が来る。

南半球にある南極は、日本とは四季がほぼ逆になる。一二月から翌年一月が日本でいう夏の時期に当たり、昭和基地付近の一月の日平均気温は氷点下〇・七度ぐらい。しかし六月から一〇月までの冬季は氷点下一五度から一九度。最低気温は氷点下二二度にまで下がる。また六月は日照時間がゼロの日が続く。

そろそろ、冬ごもりの支度をしなくてはならない。

犬の大好物

冬ごもり期間中は、越冬隊の全員で、雪上車および犬ゾリによる探査計画を練った。トレーニングを兼ねて、昭和基地南方にあるユートレ島の犬ゾリ探査を行い、問題がなければ、メインの三つの探査計画を実施することが決定した。

①昭和基地南方にあるリュツォ・ホルム湾海氷域のカエル島周辺に到達し、大陸上陸地点の有無を調査する。
②南極大陸の上陸地点が発見できれば、ボツンヌーテンに登頂し、一帯を調査する。
③昭和基地の北方に広がるプリンス・オラフ海岸地域を調査する。

カエル島とプリンス・オラフ海岸地域は犬ゾリを使用。ボツンヌーテンは遠距離であり、犬には負担が大きすぎるとの判断から、雪上車の使用が決まった。

犬ゾリ探査を成功させるには、三つの条件がある。

第一に気象。第二に十分な訓練成果。第三に犬の健康。

気象に関しては、冬期が終われば猛烈なブリザードの発生は少ない。大丈夫だろう。訓練の成果も上々だ。しかし犬の健康については、体重の減少が気がかりだった。

犬の食料は厳密に決められていた。

基地食はドッグフード。馬肉、小麦、トウモロコシを主にしたもので、一・三キロもある缶詰が一頭分。メスのシロ子も含めると一九頭分。缶を開ける作業は結構指が痛く、つらい。

ドッグミールという、粉末状の餌を水で混ぜる食料もあったが、犬たちには不評だった。

犬ゾリで基地外に出る時はドッグペミカンというビスケット状の行動食を持っていく。乾燥させたクジラの肉を主体にした軽量の餌だ。

「ビスケットなんて、喜ばないだろうな」

そう思っていたが、予想に反して犬たちはよく食べた。

「クジラの味がするからだろう。あの臭いアザラシの肉でも、喜んで食べる連中だ。クジラはご馳走なんだよ」

西堀隊長が自説を唱える。なるほど、と北村も納得した。確かに、犬たちは、日本から持ち込んだ食料も食べたが、隊員が捕獲したアザラシの肉や臓物を喜んで食べた。

アザラシの解体方法は、アンコウの解体に似ている。犬の係留地のそばに三本の鉄柱を三角錐に組み、フックのついた鎖を頂点から垂らす。鎖の先端にあるフックをアザラシの下あごに通し、そのまま吊り上げると、アザラシの巨体がほぼ垂直になる。こうすると肉をそぎ落としやすいのだ。

犬にアザラシを仕留める能力はないので、その役目は人間だった。銃を使う。アザラシは可哀そうだが、犬の食料確保のためにはやむを得ない。

アザラシの肉は猛烈に臭い。しかし、そばで解体作業を見守っている犬たちは、今か今かと期待に満ちた目をしている。大好物なのだ。

特にゴロはいつも解体場所に一番近い位置に座り、ワンワン吠え続けて、うるさい。ゴロはアザラシ肉に目がなかった。

こうした食料補填にもかかわらず、なぜか越冬開始以来、犬の体重は下がり続けた。犬の体重は、犬の健康状態のバロメーターである。犬の健康状態は犬ゾリの牽引能力に大きな影響を及ぼす。

一般的に、カラフト犬の牽引力は体重の五〇パーセントとされる。体重四〇キロの犬なら二〇キロの荷物を曳くことができる。体重が三〇キロに落ちたら、曳ける重量も一五キロにダウンしてしまう。これは重大な問題だった。

「与える食料の分量計算をやり直してみよう」

心配した西堀隊長が、専門の推計学を駆使して再計算した結果、犬の食料を五〇パーセント増量することになった。

隊長の計算は正しかった。ゴロは一カ月で七・四キロ、比布のクマも七キロ体重が戻った。全頭平均で三キロ増加。牽引力の低下という問題は解消された。

ただ、ベックだけは食欲が落ちていた。医師の中野は「腎臓病だろう」と診断し、南極でできる処置はしてくれた。もうすぐユートレ島探査が始まる。ベックはリキたち先導犬をバックアップする先導犬候補だ。戦列から離れてもらっては困る。

気になって北村はベックの様子を見にいった。

少し前から建物の一室に収容されていたベックは、北村の顔を見ると尻尾を振った。顔を上下させる。うれしいときのポーズだ。

「なんだよ、お前。寂しかったのか？」

首回りを撫でてやると、北村の顔をべろべろなめた。やめようとしない。この分なら、そのうち回復するだろう。

初の南極犬ゾリ探査

ユートレ島の犬ゾリ探査は、八月一二日出発と決まった。

凍りついた分厚く硬い海氷の上を走るのだ。メンバーは、医師の中野、設営の佐伯、それに犬係の菊池と北村。中野は北大の山岳部出身で、戦前に樺太（からふと）に渡った。終戦で混乱する現地で、マニュアルを見ながら足の切断手術を成功させた逸話を持つ。特別豪雪地帯の富山県・立山の寒村で育った佐伯は雪の特性に詳しく、同じような風景に見える南極で、方位を間違えることは滅多になかった。ユートレ島一帯にペンギンのルッカリー（群棲地）があるとの情報があり、二人の任務はその調査だった。

一八頭のソリ犬のうち、足を痛めた風連のクマとデリー、それにベックは連れていかないことにした。

カラフト犬は犬ゾリを曳きたがる。人間に奉仕することに喜びを感じるのか、ソリを曳くこと自体がうれしいのか、北村にはわからない。江戸時代からソリを曳いていたという記録もあるそうだから、そうしたDNAが継承されているのかもしれない。

だからソリにつなぐ犬を選定するのは一仕事だった。どの犬も「自分を連れていけ」と大騒ぎする。

風連のクマとデリーは、ソリにつないでもらえないと知ると、ふてくされたように前足を激しく動かして雪穴を掘り、中に潜り込んだ。

「お前たち、けがしているんだから、仕方ないだろう」

北村が、好物のドッグペミカンを雪穴の近くでかざしても、頭を雪穴に突っ込んだまま、出てこない。相当むくれている。

「そういえば、ベックは大丈夫かな」

出発直前、北村は室内にいるベックの様子を見にいった。ベックは眠っていた。問題なさそうだ。少し安心して室外に出ようとした時、ベックが目を覚ました。

ワン、ワン、ワン、ワン。

横たわったまま、激しく吠えた。ずっと吠え続ける。

「なんだ。元気になったじゃないか」

おとなしいベックが、こんなに激しく吠えたことはなかった。体調は悪くても、やはりソリを曳きたくてアピールしているのだろう。北村は、そう思った。

午前九時。ユートレ島に向けて、ペンギン生態調査隊の中野と佐伯、犬ゾリ担当の菊池と北村が出発した。一台のソリに一五頭の犬。このルートは、途中までは何度も走った。リキを先導犬にするまでもない。シロを試そう。

「ちょうどいい訓練だ」

先導犬シロは、期待通り迷わず走った。予定通り、ユートレ島エリアに到着した。

残念ながら、ペンギンはいなかった。南極には数種類のペンギンが生息している。南極に到着した一九五七年一月に、南極観測船宗谷に搭載した飛行機が、上空からこの一帯でペンギンの群れを確認したという報告をしてきた。これを受けての生態調査だったのだが、一羽も発見できなかった。

その後判明したのだが、この一帯にいたのはアデリーペンギンで、冬の終わりのこの時期は、ユートレ島エリアから相当離れた場所に移動していたのだった。

ペンギンの生態一つとっても、当時の予備知識とはこの程度だった。ほとんど手探りの中で実施された研究が、いかに大変だったのかがうかがえる。

ベックの最期

一五日朝。予想もしなかったことが起きていた。

ユートレのキャンプ地から、リキが消えていた。前夜ちゃんと係留したのに、首輪しか残っていない。大声で呼ぶが、まったく反応がない。いったいどこへ行った?

「リキは大切な先導犬なんだろう。大丈夫か」

日頃は豪放磊落な中野ドクターも、心配そうに北村に尋ねた。

「あいつなら、一頭でも行動できます。きっと基地に帰ったんでしょう」

北村はそう返したが、内心は心配だった。そういうことをする犬ではないと思っていたからだ。

一五日の夕方、北村と菊池は犬ゾリで基地に帰ってきた。ペンギン調査のためユートレ島に残った中野と佐伯は、後から徒歩で戻ることになっている。

基地に近づくにつれて、犬たちはやかましいほど吠え始めた。犬ゾリも楽しいが、やはり犬にとって基地は一番安心できるのだろう。食べ物があるし、安全な場所だ。うれしそうに尻尾を激しく振っている。ソリの速度も上がった。

基地に帰り着いた。西堀隊長がドアの前で待っていた。厳しい目だ。

「早く会ってやれ」

その短いひと言で、察した。北村はベックがいる部屋に走った。

簡易ベッドに横たわっているベック。舌をだらりと出したまま、ハァハァと荒い息を吐いている。その目は開いているが、うつろだ。腹部が激しく上下している。

北村はベックに声をかけられなかった。最悪の結果になるのでは。そんな自分の想像が怖かった。

夜になった。北村はベックをさすり続けた。それしかやってあげられることがない。犬の治療法を知らない自分が情けなかった。付き添ってくれた西堀隊長が、心配そうにのぞき込む。ベックの呼吸が弱々しくなっていく。腹部の上下動が徐々に小さくなる。小さな息を吐いた。

「あ……」

ベックの瞳から、光がすぅーっと消えていく。前足が、少し痙攣（けいれん）したように見えた。動かなくなった。

ベックは控えめな犬だった。どの犬とも同じように接することができる、穏やかな犬だった。北海道の利尻島から南極にやってきたカラフト犬。ベックは四歳半で、一次越冬隊最初の犠牲犬となった。

北村は後悔した。

ベックのソリを曳く力が落ちていった時。食欲が落ち続けた時。あの時、犬係の自分はもっと深刻にとらえるべきだった。

北村の心中を察したように、西堀隊長は言った。

「北村。お前は獣医師じゃない。そこは間違えるな」

そして続けた。

「君たちが基地近くまで戻った時だ。ソリ犬たちが吠えているのが、この部屋にまで聞こえてきた。そしたらベックが、『ク～ン』と一回鳴いたぞ。小さかったが、確かに鳴いた。ベックをほめてやれ」

——待ってたんだな、ベック。

北村はこらえきれず男泣きした。隊長に気づかれないように、声を上げず。顔をそむけるようにしながら直訴した。

「このまま、静かに葬ってあげたいと思います」

声が震えていた。

しかし、それは許可されなかった。

なぜベックは死んでしまったのか。原因をしっかり調べることが、残された犬たちの健康を守ることにもつながるからだ。

しばらくすると、外国の南極基地からお悔やみの電報とともに、死因の情報提供を求める要請が相次いだ。どの基地でも犬は大切な存在なのだ。

感情に流されず、やるべきことに徹しなければならないときもある。

「他の犬たちのためだ。我慢しろ」

隊長の説得に、北村は返事ができなかった。ただ、飲み込んだ。

ベックの解剖は翌日、ユートレ島から徒歩で戻ってきた中野医師の執刀で行われた。

ベックの膀胱は完全破裂していた。すさまじい痛みで苦悶したに違いない。北村は自分に獣医学の知識がないことを悔いた。

第一次越冬隊員の中に、医師はいるが獣医師はいない。

この点は、日本を出発する前から懸念材料だった。北海道大学の犬飼哲夫教授や中村良一教授らは、カラフト犬を南極に連れていくのであれば、獣医師の同行が必要だと強く進言した。しかし、結局見送られた。

獣医師不在という昭和基地の現実は、越冬中にさまざまな形で影響した。

リキの帰還

一六日朝。リキは行方不明のままだった。

ベックの死。リキの失踪。隊員たちも心なしか落ち着かない。

人間の気持ちに敏感なジャック、クロ、アンコたちは、普通ではない空気を感じ取ったのか、そわそわしている。普段は悠然と構えている風連のクマやアカも、時々意味もなく吠えた。北村の不安は増す一方だった。

「いったい、どこに行ったんだ」

もちろんリキの安否が一番心配なのだが、それだけではない。もしリキを失ったら、長距離の犬ゾリ探査はかなり困難になる。

リキはもうすぐ七歳になる。昭和三〇年代、大型犬の平均的な寿命は七歳から八歳だ。人間でいえば高齢者に近い。食べ物もないし、体力も落ちているだろう。基地のすぐ近くで疲れ果てて、助けを待っているかもしれない。

そう思うと、居ても立ってもいられない。北村は見晴らしがよい場所に行っては、周囲を見回した。しかし、リキの姿はない。

「あいつでも、方向がわからなくなったのか……」

北村はあきらめかけていた。

その日の午後六時頃だった。犬の係留地から、犬たちの激しい鳴き声が聞こえてきた。犬たちは腹が減ると騒ぎだす。食堂にいた北村は、思わず舌打ちしそうになった。

「こんな時に……」

北村がいすを立とうとした時、村越が食堂に駆け込んできた。外で気象観測をしていたのだろう、防寒服を着たままだ。

「北村君。リキが帰ってきたぞ」

外に飛び出した。係留地に着くと、リキは自分の所定の場所に座っている。

「リキ！　どこに行ってたんだ！」

自制心を失っていた北村は、思わず怒鳴りつけた。

リキは軽く尻尾を振っただけで、甘えるでもなく、悠然としていた。

彼にとっては、どうということはなかったのか。こんなに心配したのに——。

その夜、中野の報告で意外なことが判明した。

ペンギンの継続調査のためユートレに残留した中野と佐伯は、北村たちが犬ゾリで去った後に少し移動し、一五日夕方、新たにキャンプを張った。

すると、その夜、リキがテントに現れたのだという。

「よく俺たちがいる場所がわかったな」

驚いた中野と佐伯は、リキに缶詰のシャケを食べさせた。リキはテントの外で眠った。

ところが一六日の朝になると、再びリキはいなくなっていたという。

中野たちのキャンプ地を離れたリキは、リュツォ・ホルム湾のユートレやシガーレン、ラングホブデ付近を駆け回って基地に戻ったのか。カラフト犬の足であれば、まったく問題ない距離ではあるが。

北村は二つのことを考えた。

先導犬であり、リーダー犬のリキ。いつも人間の指示を守るリキ。それなのに、土地勘がない場所で、なぜ単独行動を取ったのか。リキだけは、そういう無謀なことはしないと思っていたのに。そう考えると、裏切られた気持ちがした。賢いとはいっても、しょせんは犬なのか？

だが、もう一つの考えの方が、自分自身を納得させた。並みの犬なら知らない場所は恐れ、警戒する。単独行動する自信もないだろう。だから人間の指示に従う。

しかしリキの方向感覚、危険察知能力、帰家本能は抜きん出ている。初めてのユートレは知らない海氷原だ。ここで、自分だけの力で行動できるか。一帯はどのような地形になっているのか。安全なルートはどこか。危険なものはないか。それを自分の力で確認したかったのではないか。北村には、そう思えた。

カエル島探査

カエル島探査は八月二八日出発となった。西堀隊長自ら指揮官となり、ベテランの地質担当立見、それに犬係の菊池、北村の四人編成。昭和基地から南へリュツォ・ホルム湾の凍った海氷面を走破して、カエル島周辺に到達する。

この調査には重要な目的があった。雪上車で南極大陸に上陸できるポイントの発見。どのような装備であれば、上陸できるかの見極め。基地から上陸地点に至るまで、海氷の硬度は雪上車の重みに耐えられるか。そうしたことを確認できなければ、大陸に上陸してボツンヌーテン登頂を目指すという一次越冬隊最大の目標は達成できなくなる。責任は重大だった。

氷点下二五度の靄（もや）の中、犬ゾリ隊は昭和基地を出発した。総荷重四〇〇キロ。かなり重い。牽引力と根性がある比布のクマやゴロが頼りだ。

ところが比布のクマからいつもの気迫が伝わってこない。なぜだ。メインエンジン役が不調。いきおい犬ゾリのスピードも上がらない。予定よりかなりペースが落ちている。

「初日からこんな調子で、大丈夫かな」

隊長が気をもむ。

北村は、比布のクマが気になっていた。喧嘩っぱやいが、ソリを曳くときは懸命に曳くやつなのに。体を調べたが、けがはしていない。具合は悪いようには見えないのに、彼らしいガッツがない。

二日目。一晩寝て回復したのか、比布のクマは吹っ切れたようにいつもの根性を見せ始めた。先導犬リキの誘導で、比布のクマは太く鋭い爪を海氷にガチッと食い込ませ、グイッと四肢を躍動させる。他の犬たちもタイミングを合わせる。ソリはハーモニーを奏でるように美しくハイスピードで疾走した。初日とはまるで違う。

「こんな感じで、いつでもスムーズに走れないのか」

西堀隊長は簡単に言うが、犬は機械ではない。犬にも人間と同じように体調の良し悪しも、喜怒哀楽の感情もあるのだ。

昼食タイム。持参したチーズにナイフを入れるが、鉛の箱のように固く刃先が入らない。あきらめた。想像以上のことが南極では起きる。

巨大なプレッシャーリッジ群にぶち当たった。海氷に巨大な圧力がかかり、やがて割れると、それらはまるで山の背のように盛り上がり、重なり合う。それがプレッシャーリッジだ。見とれていると、突然目の前で氷が押し上げられ、轟音とともに割れた。振動が腹に響く。南極は生きている。経験したことがないスケールの大きさだ。

三日目。ドーム球場の屋根のような形をした円丘との戦いが始まる。一つの円丘の幅は約二キロ。高さは四〇メートル程度。決して急峻(きゅうしゅん)ではない。しかし犬ゾリ隊は苦戦した。そこは軟らかい雪が降り積もっており、犬たちのパワーを奪った。犬たちは半分雪に潜ったような状態で前に進むので、疲弊が甚だしい。しかも、一つ越えたと思ったら、すぐに次の円丘が待ち構えている。それが延々と続くのである。このままではだめだ。

「ここは、スピードよりパワーだ」

そう考え、先導犬を力がある紋別のクマにしてみた。それでも進捗ははかばかしくない。人も犬もへばってきた。特に、力持ちのゴロの衰弱が尋常ではない。ソリを止めると雪の中にばったり倒れ込む。頼りにしているゴロにダウンされてはまずい。少し早いがキャンプを張った。この難敵を「円丘氷山」と命名した。

四日目。雪面の状態は最悪だった。軟らかい積雪を犬たちが直接かき分けて進もうとしても、雪の抵抗力は意外に強く、ソリは遅々として進まない。

このように軟らかく深い雪の中を進むとき、先頭に立って雪面を踏み固めることをラッセルという。

犬ゾリの進行速度を上げるために、北村はこのラッセルを担当した。犬たちが進むルートを北村が踏み固めることで、雪面の抵抗力を少なくするのだ。効果はあるが、人間はへとへとになる。

南極で汗は禁物だ。十分注意していたつもりだったが、手と足に汗をかいた。これはよくない状況だった。手袋と靴の中で汗が凍りつき、まるで氷の中に手足の指を突っ込んだような状態になってしまった。凍傷が始まっていた。

「ラッセル役を交代してほしい」、そのひと言が言えなかった。やはり年下という遠慮があった。

五日目。九月になった。凍傷がひどくなった。足の指に水泡ができている。深度二度の凍傷だ。痛むが、南極大陸まであと一キロに迫ったことで、元気は出た。ここまでくると雪はなく、海氷面は固く滑らかな蒼氷だ。犬たちは猛スピードで走っている。頼もしいやつらだ。

眼前に迫る南極大陸。しかし、大陸の端は数メートルから数十メートルの氷の崖が延々と続いている。

「これでは、雪上車で上陸するのは無理だぞ」

西堀隊長が弱気になる。

何としても上陸可能な場所を見つけなければならない。氷の壁に沿って犬ゾリを走らせていると、一カ所だけ、氷河が緩やかに海氷面まで下りきっている場所があった。なだらかな斜面だ。ここなら雪上車でも上陸できる。

ほっとした北村は周囲を見渡した。今までは周りの風景など見る余裕などなかった。

なんという美しさだろう。

足元はブルーダイヤモンドのように輝く蒼氷。眼前には純白の南極大陸。その上には突き抜けるような紺碧の空が広がる。信じられないような光景だった。

北村はカメラを取り出した。凍傷の指に激痛が走り、思わず顔をしかめた。

足の指先の痛みは、極限に達していた。凍傷は三度になった。

もう一つ問題が出てきた。厳密にカロリー計算された行動食だったが、どういうわけか量が足りない。腹が減って仕方がない。こんな経験は初めてだった。

犬用の餌、ドッグペミカンに目が行く。クジラ肉に小麦粉をまぜ、油脂で炒めて固めたビスケット状のものだ。一頭あたり二〇枚与える。かいでみると、香ばしい匂いがした。

我慢できず、北村は風連のクマ、比布のクマ、ジャックの分を一枚ずつ、食べてしまった。

しかし大食漢のゴロは手ごわかった。ゴロは赤色の目でこちらをずっとにらんでいる。

——自分の分を横取りするのは許さない。

北村はあきらめた。

この時、ちょっとした事件があった。円丘氷山との戦いで、犬たちも消耗し、腹を空かせていたのだろう。ある犬が幼いタロ、ジロの餌を奪おうとした。すると横からリキが猛然と吠えたてた。いつもは騎士然としているリキが、耳を横倒しにした戦闘ポーズで威嚇したのだ。

「子供の餌を取るんじゃない！」とでも言うように。

タロ、ジロは幼かったので、よくベテラン犬に餌を取られていた。リキは初めてその現場を見たのだろうか。あまりのリキの形相に恐れをなしたのか、その犬はまさにしっぽを巻いて座り込んだ。その様子に、北村は菊池隊員に笑いかけた。

「なんだか、リキって、タロとジロの親父みたいですね」

足跡は大陸へ

数日が過ぎ、九月四日。予定通り帰着できそうだった。基地まで一〇キロ地点に到達。基地から雪上車が迎えに来た。大塚、藤井、佐伯が手を振っている。緊張が一気にほぐれた。

「基地は目の前だし、犬を全部放そう」

菊池が犬たちを鎖から外した。

「大丈夫か」

西堀隊長が心配する。

ここから基地まではすぐだ。犬が迷うはずはない――。菊池には自信があった。北村もそう思った。

鎖から解放され、犬たちのテンションは一気に上がった。真っ白な雪原に一斉に散り、縦横無尽に走り回る。うれしそうにじゃれ合う。喜びにあふれていた。

北村たち四人は雪上車に同乗し、空になった犬ゾリは雪上車で牽引しながら基地に向かった。

犬にも性格がある。ジャックやジロ、シロたちは置き去りにされるのが不安なのか、雪上車に一生懸命ついてくる。風連のクマやモクはマイペースでうろうろ。どんどん視界から遠ざかる。

夕方までに、犬たちは次々に基地に戻って来た。比布のクマとアンコ以外は、すべて帰着した。二頭は、どこに行った?

不明から三日目。二頭は依然として戻ってこない。事態を憂慮した西堀隊長は、全員で捜索しようと提案した。隊員たちは賛成した。菊池が反対した。

「無意味に近い」

犬たちを信じているからこその反対だったのだろう。しかし作間が怒った。

「そんな言い方はないだろう」

藤井が割って入り、その場は収まった。西堀隊長、藤井、中野、北村の四人が捜索に出た。

西オングル島の、かつてN基地と呼んでいた場所まで来た。越冬前、永田武第一次観測隊長が幹部だけで上陸式を行い、この地を「昭和基地」と命名した。この名誉ある儀式に参加できなかった越冬隊員たちは、当時大きな不信感を抱いた。いわく付きの場所だ。

「本当は、ここに基地ができるはずだったんだよなあ」

そんなことを話しながら、藤井がふと前方を見ると、アンコがいた。

藤井が大声で呼ぶと、アンコは顔を上げ、猛スピードで駆けよってきた。藤井が持ってきたサンドイッチを与えると、がつがつ食べた。腹が減っていたのだ。可哀そうに。とりあえず一頭を保護。

比布のクマは見つからなかった。

不明から四日目になった。

北村は、カエル島探査の出発時のことを思い返していた。

比布のクマは完全にやる気をなくしていた。いつもの自信に満ちた覇気（はき）がなく、何かおかしかった。

この日は捜索隊を六人に増やしたが、見つからなかった。

不明から五日目。ついに菊池が折れ、捜索に加わることを承諾した。北村と二人だ。

黙々と歩き、犬たちを一斉に放した地点に戻った。足跡を確認する。降雪がなかったので、足跡はくっきり残っている。

ここからは、犬たちはすべて、基地がある北方に向かっているのがわかる。そして、左手に基地が見え始めた地点で、ほとんどの犬の足跡は基地に向かっているのに、一頭だけ逆の右手方向に向きを変えている。

その先は南極大陸だ。一頭の足跡だけが、真っすぐ南極大陸へと伸びている。北村たちは足跡を追った。比布のクマの足跡は、オングル島から、そのまま凍った海氷域へと続き、南極大陸に達し、その奥へ消えていた。

比布のクマは基地を見失ったのではなく、南極大陸を目指した。そうとしか思えない強い意志を、北村は足跡から感じた。

彼はなぜ基地に戻らなかったのか。北村は考えた。そして思い出した。

「ひょっとしたら、あれか?」

もし、それが原因であれば納得がいく。

比布のクマのプライド

越冬隊は一頭のメス犬を連れてきていた。シロ子だ。子供を産ませて、次の世代を作り、犬ゾリの新戦力を増やしていくのが目的だった。この頃のカラフト犬の平均寿命は七年から八年程度だった。高齢になればソリ用の犬としては使えなくなる。次の観測隊が日本から新しい犬を連れてくる手もあるが、南極で生まれた子は順応が早いかもしれない。

　そういう実験的な意味合いもあったから、伴侶となるオスは、強く、ソリ犬としての能力が高くなければならない。

　そうなると、ナンバーワン候補は圧倒的なパワーと激しい闘争心を持つ比布のクマ。それが隊員たちの一致した意見だった。象もライオンもサルも、メスは強いオスを選ぶ。それは生存能力が強いＤＮＡを継承していく自然の摂理だ。

　手はずは整えられた。カエル島行きの数日前のことだった。ところが意外なことが起こった。シロ子は唸り声をあげて、比布のクマを寄せつけなかった。シロ子が選んだのは別のオス、シロだった。

　比布のクマはシロ子にふられた。彼のプライドはずたずたになったに違いない。

　しかもその直後から、オス犬たちの態度が変化した。比布のクマが唸り声を上げると震え上がっていたクロやペスですら、彼を恐れなくなったのだ。

　比布のクマは、自分のランクが下がったことを悟ったのだろう。喧嘩では無敗だった比布のクマは、たった一度の恋に破れた。カエル島に向かう朝、彼に覇気がなかったのはそれが原因だったのかもしれない。そして、あの分岐点で基地を見た途端、彼の気持ちは激しく揺れたのだろう。

　――あそこに戻るのは自尊心が許さない。

比布のクマは極めて野性味が強い犬だった。らんらんとした黄色い眼。精悍（せいかん）な面構え。強い意志を持ち、体全体から闘志があふれ、そしてどう猛だった。

北村は、北海道稚内市の訓練所のことを思い出した。

「カラフト犬を叱るときは、棒で鼻面を思い切り殴れ」と調教師に教えられ、何もわからないままそうした。犬を殴る行為は不快なことだった。しかし、そうしなければソリを操ることはできない。

北村は心を鬼にして、犬たちを殴った。大抵の犬は棒を見ると逃げ惑う。殴る前からキャンキャン悲鳴を上げる犬もいた。

しかし比布のクマは違った。どれほど殴られても決して悲鳴を上げず、棒を避けようともしなかった。鼻の骨が折れるのではないかと思うほど強く殴っても、人間を睨みつけながら動かなかった。北村は恐怖すら感じた。

そんな筋金入りの比布のクマにとって、基地に戻り、屈辱の日々を送るのは我慢できなかったのだろうか。

たった一頭で南極を生き抜くのは厳しい。孤独で絶望的な選択。しかし、それも誇り高いカラフト犬の生き方だ。あいつらしい。

雪上車探査の放棄

膀胱破裂によるベックの死。昭和基地と決別した比布のクマの失踪。

ユートレ島、カエル島の犬ゾリ探査は十分な成果を挙げたが、直後に起きた想定外の事態は昭和基地に暗い影を落とした。

しかし南極越冬は国家事業である。

「いつまでも感傷に浸ってちゃいかんぞ。仕事しろ」

西堀隊長がはっぱをかける。だが犬係の仕事は毎日の餌やりだけだ。一一月下旬に予定されているプリンス・オラフ海岸探査まで、犬ゾリ探査の任務はなかった。

「登りたかったですね、ボツンヌーテン」

犬に餌を与えながら、北村が菊池に話しかける。菊池も無念のようだ。

「未踏峰だからなあ。魅力があるよ。犬ゾリでも行けると思うんだが」

一次越冬隊の最重要目的であるボツンヌーテン登頂探査は、雪上車を使うことが決まっていた。これまでの海氷上探査ではなく、南極大陸に上陸し、人類が登ったことがない山、ボツンヌーテンに登頂する。往復五〇〇キロ近い長丁場なので、相当な量の資材、食料を運びながら進まなくてはならない。犬ゾリでは無理だろうと判断された。探査隊に選ばれた立見辰雄らが、一〇月七日の出発に向けて準備に張り切っている。

みんな、それぞれの夢を抱いて、日本から一万キロを超えてここに来たのだ。今回は雪上車部隊に譲ろう。

しかし南極では、予測外のことが当たり前のように起きる。

日本から持ってきた雪上車はしっかり整備されていた。南極に来ても、機械担当の大塚隊員がメンテナンスを怠ることはなかった。

しかし南極の気象、特にマイナス数十度という低温がずっと続く環境は、精密車両にとって過酷だった。寒さが原因で燃料パイプの中が凍結した。頑丈なはずのキャタピラーの付属ピンが折損した。ナットが外れた。ついにはエンジンがかかりにくくなった。

寒さが原因のこうしたトラブルは、創意工夫でなんとかクリアしてきた。当時としては最高の機材、最高の整備、そして大塚の献身的な努力のおかげだった。

しかし、ボツンヌーテン行を直前にして、再びエンジンが不調になった。やっと始動しても、走行中にだんだん馬力が落ち、ついには停止してしまう。これは重大事故につながりかねない深刻なインシデントであった。

ボツンヌーテンは遠い。もし基地から数百キロ先でエンジンが動かなくなったら、徒歩で基地に戻ることになる。それは危険であり、隊員の命にかかわる。

約二年前。犬ゾリの必要性を疑問視する南極特別委員会の席で、西堀は「優秀な雪上車であっても、南極で故障したら誰も直せませんよ。だから、少々壊れても簡単に修理できる犬ゾリが必要なんです」と力説した。西堀の予言は的中してしまった。

一二日、ついに雪上車によるボツンヌーテン探査計画は放棄された。最大目的の放棄は、一次越冬隊の評価を大きく下げるだろう。しかし人命には代えられない。

菊池と北村が西堀隊長に呼び出されたのは、その日の夕方だった。

「単刀直入に聞く。犬ゾリ隊でボツンヌーテンに行けるか？」

「行けます」

隊長の問いかけに、菊池と北村は同時に即答した。

北村は、自信はあったが確信は持てなかった。自信と確信は違う。しかし、どうしてもやりたかった。ユートレ島探査もカエル島探査も素晴らしかったが、やはり未踏峰ボツンヌーテンの登頂探査は山岳部のＯＢとしても血が騒いだ。

あきらめていた夢。それが、思いがけない形で実現する。雪上車部隊要員だった立見隊員や、雪上車の整備に苦労してきた大塚隊員には申し訳ないが、転がり込んだチャンスだ。逃したくなかった。

犬ゾリ探査となると、およそ一カ月かかる大遠征だ。持っていく食料、資材の重量は相当なものになる。削れるものは極限まで削る。機材は一番軽量のタイプを採用。用を足す際のおとし紙の枚数までチェックした。

しかし、命をつなぐ食料は余裕を持たせておきたい。何があるかわからない。

北村はその食料の計算担当になった。計算は得意だ。これまでの探査の経験も生きた。

重い缶詰類は中身を出して、缶は捨てた。中身は凍っているから問題ない。冷凍肉類も梱包を解いて紙でくるくる包む。チーズは包装紙を破った。わずかであっても軽量化だ。

北村が食料入り木箱や段ボール箱の梱包を次々に開けるのを、近くにいた犬たちがずっと見ている。もらえると思っているのだろうか。

――悪いが、これはお前たちのランチじゃないよ。

工夫したおかげで、かなりの量の食料を携行することができるようになった。何度も検算した。大丈夫だ。

「よし、これでいい」

出発は一〇月一六日と決まった。北大山岳部出身の医師、中野をリーダーに、犬係の菊池、北村の三人編成である。

目指せボツンヌーテン

その朝、基地は濃いガスに包まれた。しかし雪面は適度に硬い。人間を含めたソリの荷重は三五〇キロ。犬たちはリキを先頭に順調に走っている。

一七日。雪上車が前もって運んでおいてくれた荷物が置かれたデポに到着。荷物を積むと、ソリの荷重は一気に五〇〇キロを超えた。

しかも積雪が徐々に深くなる。犬たちの体力がどんどん奪われる。犬たちは頑張って曳いているのだが、雪の抵抗が大きくソリがなかなか進まない。ゴロが、風連のクマが、唸り声を上げながら曳く。少し前進だ。日頃険悪な関係にあるジャックとアカも、力を合わせるように足を進める。また少し前へ。疲れ切ってしまった。

この夜、人も犬も死んだように眠った。

一八日。北村と菊池は眼前の円丘氷山群を見ながら、思案していた。

「どうした」

テントから出てきた中野が二人に声をかける。

菊池が先方を指さす。

「あいつが、やっかいなんですよ」

それは小さな雪の丘である。高さはせいぜい五〇メートルから一〇〇メートル。しかしカエル島探査の時、この円丘氷山には死ぬほど苦しめられた。

「ふむ。確かに、あれは難物だな」

中野は頷いた。菊池は驚いた。

一見すれば、なんということはなさそうな、なだらかな雪の小山。しかし、北大山岳部で鳴らし、樺太の雪原で暮らし、雪の怖さを知っている中野は、眼前に続く小さな雪山がいかに難敵であるか、鋭く見抜いていた。

「ラッセルして、犬の負担を軽くしながら進もう」

中野の提案はもっともだが、前回そのラッセルで北村は疲弊し、汗をかいてしまい、足の指に三度の凍傷を負った。

「また、やるのか……」

憂鬱（ゆううつ）な気分でうつむいてしまった北村。ふと目を上げると、中野がラッセルを始めていた。

「中野さん！　俺がやりますよ！」

「まず隗（かい）より始めよ、だ。北村、次はお前だ」

中野のガラガラ声が、北村はうれしかった。

しかし、今回の円丘氷山はカエル島より手強かった。カエル島の時は、犬たちの体半分が雪に埋まる深さだった。今回は、ラッセルしても、犬の背中しか見えないほど雪が深い。犬たちは、まるで雪の塹壕（ざんごう）を掘り進むようにしながら、一〇センチ、また一〇センチと進むしかない。

ハッ、ハッ、ハッ、ハッ。

カッ、カッ、カッ、カッ。

グッ、グッ、グッ、グッ。

犬たちの荒い息、せき込むような音、首が首輪で絞めつけられるような音が、犬たちが漸進（ぜんしん）する雪の下から聞こえてくる。

一〇メートルも進むと、犬たちは動けなくなる。雪の塹壕の中で次々に倒れ込む。それでも、何とか立ち上がろうとする。前足を突っ張り、後ろ足をがに股のように開いて体を支え、一センチでも前に行こうとする。首に食い込むロープ。苦痛のあまりアンコが悲鳴を上げる。それでも進もうとする。

炎のような犬たちの闘争心。北村は圧倒された。そして叫んだ。

「トゥ！　トゥ！（進め、進め）」

それは、命令ではなかった。励ましでもなかった。祈りに近い不思議な感情だった。

北村の絶叫に、真っ先に反応したのは、うずくまっていた風連のクマだ。

太くたくましい前足に反動をつけて起き上がろうとする。ようやく前足は立ったが、痙攣（けいれん）しているように、ぶるぶる震えている。風連のクマは、鋭い歯をむき出しにし、後ろ足に力を込めた。立ち上がったと思った直後、滑る雪床に後ろ足を取られた。ドウッと横倒しになる。口は大きく開き、両端から白く泡だったよだれが噴きこぼれた。

態勢を立て直し、もう一度。今度は立ち上がった。一番の暴れん坊が、根性を見せた。ソリを曳く。四肢に全力を込め、体を前傾させる。いつもは激しい咆哮（ほうこう）とともに最初のひと曳きをする風連のクマ。今、無言の咆哮でソリを曳く。

わずかに動いた。

風連のクマの体から放射される闘志が伝播していくかのように、ジャックが、デリーが、老犬テツまでもが立ち上がった。五メートル進んでは止まり、また五メートル進む。とうに限界を超えているはずの犬たち。だが、風連のクマが曳き続ける限り、他の犬たちも曳き続ける。そんな空気が生まれている。

唯我独尊の風連のクマが、他の犬たちの信頼を得つつあった。

円丘氷山の頂上までラッセルを終えた中野が、両手をメガホンの形にして叫んだ。

「来い！　来い！」

その言葉を、犬たちは知らない。

しかし、伝えようとしていることはわかったのだろう。ラスト一〇メートルは一気に登り切った。頂上だ！　犬たちはへたりこんだ。吐く息が荒い。しばらくは動けそうもない。

だが戦いはまだまだ続く。目の前に第二、第三の円丘氷山が静かに待ち受けている。犬たちを少し休ませ、再び円丘氷山に挑んだ。

今度は北村がラッセルした。中野がにやりと笑い、そのままソリを操る菊池を見た。菊池の表情は雪眼鏡をかけているのでわからない。

手足に汗をかかないように気を付けながら、北村はラッセルを続ける。犬たちが必死にその後を追う。

先頭のリキは、いつもはぴんと上方に立っている耳を、斜め後方に倒して登ってくる。一番力を込めているときの状態だ。一〇メートル進んでは休み、また一〇メートル進む。一度に進める距離は短いが、確実に頂上に近づいている。

ハアッ、ハアッ、ハアッ、ハアッ。

ゼイッ、ゼイッ、ゼイッ、ゼイッ。

静寂が広がる南極に、今聞こえるのは、北村と犬たちが吐く荒い息だけだ。

第二、第三、第四、第五……。難敵の円丘氷山を次々に乗り越えていく。一つ越えるごとに、犬たちの疲労度は増していくが、闘志もまた新たに湧き上がってくるようだ。

さすがのリキも最年長だけに、ばててしまった。代わって先導の位置についた若いシロが後続を引っ張る。シロはすっかりベテランたちの信頼を得ている。二歳のシロが動くタイミングに合わせて、ベテランのアカもクロも黙々と曳いている。北村は、シロに風格のようなものが漂い始めた気がした。彼もまた、いずれは群れを率いるリーダーになるかもしれない。

最後の難関

ついに最後の円丘氷山。しかし北村にもう余力はなかった。だが先輩の中野にこれ以上ラッセルを頼むわけにはいかない。やるしかないが、体が動かない……。

菊池がソリから降りた。こちらに近づいてくる。北村に言葉をかけた。

「交代しよう」

そのひと言は、うれしかった。菊池も、さすがに北村の限界を察したのだろう。

少し離れた場所で、真っ黒に雪焼けした中野が笑っている。こうなることを期待していたのだろうか。

菊池が円丘氷山の頂上目指してラッセルを始めた。ずっとソリに乗っていたから体力は十分だ。全員が疲弊してしまっては危険なこともある。誰かが余裕を持った状態でいることも大切かもしれない。

菊池が叫んだ。

「北村！　ソリを動かせ」

その前にやることがあった。北村は一頭ずつ犬たちの頭を撫で、耳の下をくすぐり、鼻と鼻をこすりつけながら話しかけた。

「おい、頼むぞ」

「お前たちだけが、頼りなんだ」

「一緒に頑張ろう」

——頼めば、犬はわかってくれる。

この頃の北村は、そう思い始めていた。犬とは理解し合える。犬たちの目に生気がよみがえった。そんな気がした。

ソリに飛び乗った北村は、大声で叫んだ。

「トゥ！（進め！）」

へたり込んでいた犬たちが一斉に立ちあがった。先導ポジションに戻っていたリキが、ぶるぶるっと体を震わせ、ぐいっと一歩を踏み出す。続く犬たちも歩調を合わせて一気に動きだした。

——あと、ひと山だ。頑張ってくれ。

北村は祈るような気持ちでソリを操った。人犬一体となった円丘氷山との戦いも、もうすぐ終わる。

彼らだって、本当はもう走りたくないだろう。疲れ切っているはずだ。それなのに、わずかな休憩の後に号令をかけると、ぐったりと横たわっていたのが一斉に立ちあがる。

北村の胸に、込み上げるものがあった。

あの、どうしようもなかった犬たちが、今、人間の気持ちをしっかり受け止めている。頭を下げ、気迫をみなぎらせて円丘氷山を進んでいる。それは、断固たる意志の進撃だった。

頂上に達した。ついに円丘氷山群を突破した。

北村はソリを飛び降り、犬たちに駆け寄った。

「お前たち、すごいぞ」

顔をくしゃくしゃにして、北村は次々に犬たちを抱きしめた。ほおずりした。リキもシロも、若いタロもジロも北村の顔をぺろぺろなめ回した。

風連のクマと、紋別のクマは、そっぽを向いた。

――もう仕事は終わりだ。俺は寝る。

そういうやつらだ。この兄弟は、そこがいい。ゴロとアンコは甘えた。大食漢の二頭は、ご褒美の餌をくれと言っている。

犬たちになめ回されながら、北村は犬ゾリの初陣(ういじん)を思い出した。南極に到着した直後の、惨憺(さんたん)たるありさま。

宗谷から海氷面に降ろされた犬たちは、興奮し、蛇行し、絡まり合い、暴走した。あげくの果ては、パドルとよばれる海氷の水たまりに突っ込んだ。

その後も、犬ゾリの練度は絶望的なほど上がらなかった。直進しない。勝手に曲がる。全然指示を聞かない。へばると、てこでも動こうとしない。統率も何もあったものではなかった。デリーや紋別のクマは喧嘩を繰り返し、比布のクマやアカは孤立していた。

幼いタロ、ジロは安全な昭和基地から離れるのを怖がり、大きな成犬から餌を奪われた。リキが気付いたときはタロ、ジロをかばったが、ほとんどの犬は他の犬に関心がなかった。

チームワークは、ばらばらだった。犬ゾリに対する期待感は薄れ、犬ゾリ探査自体が危ぶまれた。北村は焦った。

「どうして、できないんだ！　なぜ、仲良くやれないんだよ！」

北村は犬たちを怒鳴り、悩んだ。

処置なしと思ったカラフト犬たち。それが今、一列に並んで待機し、「早く次の命令をくれ」と北村に集中している。

カエル島の円丘氷山よりもさらに困難な状況を突破して、犬たちはすっかり自信を持ったようだ。ここから先は快進撃といってよかった。

巨大なビルほどもある、クシと呼ばれる氷瀑帯をかわし、雪が硬く尖ったサスツルギも犬の行進を阻むことはできなかった。もはや、ボツンヌーテンは指呼の間だ。

栄光のラストラン

ここまで一〇〇パーセント予定通り移動した。北村は食料の残量を計算した。多すぎる。カエル島探査の時は一食当たりの分量が少なくて、毎日空腹のストレスを抱えた。我慢しきれず、犬の餌を食べた。

その教訓から、今回のボツンヌーテン行では食料を多めに積んだ。初めて南極大陸に上陸するのだから、これまでの海氷面探査とは違う事態に遭遇するかもしれない。それに備えたリスク管理だった。

だが、ここまで順調に進めば、この先食料が不足する危険性はない。不要不急の食料をソリに積んだまま運べば、犬を疲れさせるだけだ。

幸いなことに、今回の食料計算担当は北村だったので、この先、持っていく必要がない食料の種類、分量は計算できた。

予定にはなかったが、食料を貯蔵する臨時デポを作ることにした。そうすることでソリの荷重は軽くなり、犬の負担を減らし、スケジュールの進行にもプラスになる。北村の提案に、リーダーの中野も菊池も賛成した。さっそく取り掛かる。

缶詰のコンビーフ、牛肉の大和煮（やまと）、ボイルドチキン、ミートボールなどは、基地を出る前に全部缶から中身を出していたので、そのままひとまとめにして大きな袋に包んだ。

牛ばら肉、牛もも肉、豚ロース、子牛のレバー。乾燥ベーコン、乾燥ソーセージとハム。これらも、すぐ料理できるように薄い紙に包んである。

魚類も多すぎる。メカジキマグロ、塩ジャケ、大正えび、ブリ、マグロのフレーク油漬け、アンチョビ。野菜は重量のある白菜、キャベツ、ニンジン、りんご。これらも多すぎる分は残置しよう。

むき出し状態にした肉やソーセージの臭いがしたのだろう。ソリにつながれている犬たちがそわそわし始めた。北村は、カラフト犬の嗅覚の鋭さに改めて感心し、しかし、気を緩めて与えてはいけないと自戒した。

この食料は、帰途に必要であれば使う。不必要な状態であれば、そのままにしておこう。いつか、きっと役に立つ。基地に戻ったら、臨時デポ設置を隊長に報告しておかなければ。

一〇月二五日。ついにボツンヌーテンまで三キロの地点に到着した。基地を出て一〇日目。ここからは、ボツンヌーテンの全景がよくわかる。

南極大陸の蒼氷からそびえ立つ、高さ約五〇〇メートルの岩山。米国のグランド・キャニオンのように、美しくダイナミックな横縞が何層も走っている。東、中央、西の三つのピークがあり、周囲はおよそ六キロだ。

壁面は切り立っている。巨大な岩が複雑に入り組んでいるところもある。雪が吹き込む場所は白く凍りついて、まぶしい光を放っている。急な岩場と氷の斜面は、人間を寄せつけまいとしているようだ。

人類未踏のボツンヌーテン。この山の地質調査、構造調査、周辺の地形観察が今回の登頂の目的である。中野も菊池も北村も、大学時代は山岳部で鳴らしたキャリアを持つが、人類未踏の南極の山に挑むのは初めてだ。三人とも武者震いした。

「ついに、ここまで来たか」

普段は冷静なリーダーの中野隊員が、子供のように興奮している。

ここに至るまで、いくつもの難関を乗り越えてきた犬たちにとっても、あと三キロでゴールだ。

円丘氷山では、風連のクマがリーダーたる片鱗を見せた。まったく予想外のことだった。風連のクマはパワーがあるし、手抜きもしない。だが他の犬はクマを恐れているのか、なかなかクマの動きについていこうとしなかった。

それが、あの円丘氷山では、風連のクマの姿に打たれたように、他の犬が懸命に付き従った。あれなら立派にリーダーがつとまる。そう思った。ボツンヌーテン探査の経験によって、彼はリキの後継者として名乗りを上げる存在になるかもしれない。

シロも見事に先導役をつとめた。南極に来た当初は目立たない存在だった。しかし、トレーニングを重ねるごとに、卓越した方向感覚を持っていることがわかってきた。先導犬のポジションにつけると、最初のうちは反抗した様子だったベテラン犬たちも、すぐにシロの実力を認めた。自信を深めたシロは、今回の探査で、リキ並みの能力を発揮した。

カラフト犬は、相手の実力を認めれば、それ以上争うことはない。無駄な争いはリスクを増すだけだからだろう。シロは、今やベテラン犬たちの信任を得て、完全に先導犬としての地位を確立したといえるだろう。

幼いタロとジロも、それなりに頑張った。だが、まだまだ二軍選手クラスだ。他の犬たちも、よくやった。でも――。

北村は思った。

これからの三キロは、栄光のラストランだ。その先導犬という名誉はずっと苦労してきたリキに与えてやりたい。

他の犬たちが「えこひいきだ」と怒るだろうか。いや、きっと納得してくれるだろう。ほとんどの行程を先導してきたリキは疲れており、昨日から負担の少ない中団グループに回していた。リキはまだ回復していないようだ。前足の間に鼻面を突っ込み、目を閉じたまま動かない。

——リキにとっては、このまま中団にいたほうが楽かもしれない……。

北村は少し迷ったが、やがてゆっくりリキに近づいた。

リキは寝ていなかった。北村の防寒靴が雪を踏みしめて近づいてくる音を、しっかり聞き取っていた。

その意味を、リキは理解していた。雪中に埋めていた頭を上げ、すっくと立ちあがった。

——あそこが、私のポジション。

そう思っているような確かな足取りで、リキは先導犬の位置に向かった。すべての犬が道を譲った。先頭にいたシロは、歓迎するように尻尾を振った。

リキは態勢を整えた。その目はボツンヌーテンをとらえている。

「トゥ！」

北村の号令と同時に、リキは猛然と走り出した。グレーの長い耳がぴんと伸び、風を切り裂く。躍動する四肢が蒼氷を削る。舞い上がる氷片が南極の太陽にきらめく。走る、走る。リズミカルに頭を上下させ、長い尻尾をたなびかせて、リキは跳ぶように走る。

北村も菊池も中野も、リキの体の奥底から歓喜のエネルギーが爆発するのを感じていた。

犬たちとの約束

二七日午後。中野、菊池、北村はこれからボツンヌーテンの主峰に登頂する。その間、ふもとに張ったキャンプ地には誰もいなくなる。

犬たちはどう行動するか。指示を守り続けて待機するか。ここぞとばかりに勝手に動くか。経験がないのでわからない。もし犬たちが逃げ出したら、まず犬の命が危うくなる。そして、自分たちも昭和基地まで二〇〇キロも歩くことになる。生きて帰れるか?

北村の脳裏に一瞬、英国スコット隊の悲劇がよぎった。ノルウェーのアムンゼン隊との南極点一番乗り競争に敗れ、徒歩で南極をさまよい、ついには全滅した探検隊。

「いや。そんなことには絶対ならない」

北村はマイナス思考を振り払った。犬たちを信じることだ。信じてはいる。こんな時こそ、あのおまじないが効くかもしれない。

それは、稚内市の訓練所で調教師の後藤直太郎が教えてくれた。

「カラフト犬と何かを約束するときは、おまじないとして、自分のつばを犬の鼻に吐きかけなさい。そうすると、犬はその人の匂いと、命令をよく覚える。ただし、信頼関係がなければ噛みつかれる」

そう言われても、当時はつばを吐きかけてみる気にはならなかった。どう猛なカラフト犬に噛まれたら、ただでは済まない。

しかし、北村はもう犬たちを信じていた。

風連のクマに近づく。口の中に、つばを溜める。風連のクマの前に座り、口をクマの鼻面に近づける。一応、念のために、ゆっくりと。

風連のクマは首をかしげ、不思議そうに北村を見つめている。なんだか、唸っているような気もするが、気のせいか。

「噛みませんように……」

正直、一瞬だけ神に祈った。もし彼が受け入れてくれたら、どの犬でも大丈夫だ。だからこそ、最初に一番やっかいな彼を選んだ。北村は口をすぼめ、つばを吐きかけようとした。その瞬間――。

風連のクマは、北村の顔をペロリとなめた。スリッパほどもありそうな、大きく、温かな舌で。おまじないの必要など、なかった。

午後二時。登高にかかる。五〇度から六〇度もある急傾斜。滑落したら終わりだ。お互いの体をロープで結びつけるアンザイレンを確認した。

先頭は菊池。次が北村。しんがりは中野だ。ザイルをしっかり確保する。夢にまで見たボツンヌーテンの岩に、アイゼンをガシッと踏みおろす。ピッケルを打ち込む。確かな手ごたえ。三人は、必要な時に、必要なだけ声をかける。登攀のリズムがいい。それから気をつけなければならないのは汗だ。最大限の注意を払いながら、無心の境地で登っていく。

午後四時、ついに頂上に立った。

――ここが未踏峰ボツンヌーテンの山頂か。

登山の常だが、山頂に到達した時には、絶叫したくなるような感覚はない。登頂させていただいて、ありがとうございます。そういった、山への敬虔な気持ち、感謝の念しか浮かばない。しかし、この山頂に日本の南極観測隊の足跡を残すことは、個人の問題ではなかった。第一次越冬隊の大きな目標だった。

今、その使命を達成した。

ただ、残念なことに視界が悪い。これより先、南の方向は、乳白色のベールがかかった未知の空間が広がっている。真下には、自分たちの黄色いテントが見える。その横で、犬たちは整然と一列に並んでいた。

ケルンを積み、第一次越冬隊員の名を刻んだ銅板を埋める。自分がこの銅板を見ることは二度とないだろう。この山頂に立つはずだった立見隊員の顔が浮かんだ。

もし雪上車がトラブルを起こさず動いていたら、ボツンヌーテン探査は立見隊員らが担当する予定だった。しかし、大塚隊員の懸命の努力もむなしく、雪上車の調子は戻らず、やむなく犬ゾリに切り替えられた。昭和基地を出発する前日、立見は黙々と銅板に越冬隊員一一人の名前を彫り込んでいた。おそらく、無念の気持ちを込めながら。その思いも山頂にしっかりと残して、慎重に下山した。

犬たちはちゃんと待っていた。地点測量を終えたら、基地に帰ろう。

クジラの残骸

「前人未到のボツンヌーテン登頂者だ。俺たちの名前は永遠に残る。よかったな、北村」

ボツンヌーテンからの帰途。必要なこと以外は口をきかない菊池が、珍しく饒舌だ。彼もうれしいのだろう。北村も菊池が笑顔を見せると、やはりうれしくなる。

天候は良好、犬たちも十分休養を取れたので、ソリは快調なペースで昭和基地へと向かっている。往路の難行苦行に比べると、帰路は順調すぎる。

そういう時に限って、アクシデントが起きる。

一一月三日。周囲の天候が急におかしくなった。周囲が白濁し、見通しが一気に悪くなった。方向感覚抜群のシロが、方向を見失った。リキに交代させたが、事態は好転しない。人間も感覚が麻痺している。方向だけでなく、高い場所が低く、低い場所が高く感じる。

「ホワイトアウトだ」

中野が二人に警告する。言われなくとも、菊池も北村もわかっていた。

大気中の氷滴が極端に細かくなり、光の散乱によって影がなくなった。方向感覚も遠近感もおかしい。冬登山でも経験していたが、ここで遭遇するとは。

遮光（しゃこう）する雪眼鏡をかけていないと、目をやられてしまう。しかし、かけたままでは帰る方向がまるでわからない。危険は承知で短時間だけ外し、方位を確認する。ようやく軌道修正できた。往路で作った食料デポにたどり着き、必要な分だけソリに積み込んだ。残りの食料は、いつでも簡単に利用できるように再度整理した。

雪眼鏡を外した代償は大きかった。その夜、三人とも猛烈に目が痛くなった。特に菊池が「痛い、痛い」と訴える。処方する薬はない。中野医師も手の施しようがなかった。

危険な状況だった。もし三人とも症状が悪化して方向が確認できなくなったら、基地に帰れない。

五日。菊池はもうほとんど目が見えないという。犬の負担は増えるが、ずっとソリに乗せておくしかない。

六日になると、幸いにも中野、北村の症状がおさまった。なんとか基地には帰れそうだ。しかし菊池の容態はなかなか回復しない。大丈夫だろうか。

ソリは南極大陸から海氷上に降りた。プレッシャーリッジが乱立している。ここを抜けると、もうすぐカエル島だ。

その先に、異様なものを見つけた。犬たちも気づき、激しく吠えている。

古い木で作った柱らしきものが、折れ曲がったような状態で林立している。柱には、それぞれ布のようなものがまとわりつき、ひらひらと風に揺れている。古い山小屋のようだ。

「誰か住んでいるんじゃないのか」

中野が冗談交じりに北村に顔を向ける。北村は返答に窮した。想像がつかない。嫌な汗をかく。汗は禁物だというのに。外国の探検家がここに小屋を建てたのだろうか。そんな馬鹿な。

犬ゾリは徐々に謎の物体に近づいていく。すると、犬たちに異変が起きた。それまでは犬たちの足並みはそろっていたのに、急にテンポが乱れた。

風連のクマやアカが、鼻の周りにしわを寄せ、「ガルルル」と威嚇するような声を出し始めた。ペスはおびえて止まろうとする。いったいどうした。あと二〇〇メートル。やはり小屋のように見えるが……。

「ヤッホー……」

声をかけた。人ならまだしも、得体の知れない動物が中から飛び出してくるかもしれない。

ピッケルを握りしめる。一〇〇メートルまで近づいて、正体がわかった。

「なんだよ。脅かしやがって」

「まぎらわしいな」

中野と北村は、同時にフーッと深く息を吐いた。

小屋に見えたのは、死亡して相当年月が経ったクジラの残骸だった。巨大なあばら骨が、遠くからは折れ曲がった柱に見えたのだ。布かと思ったのはクジラの皮だった。皮の内側にはまだ肉片や脂肪のようなものがびっしりとこびりついている。風化はしても、腐敗はしないのだろうか。

カエル島周辺は、今は凍りついているが基本的には海だ。クジラが生息していたのだろう。あるいは迷い込んで、海氷域から脱出できなくなったのかもしれない。

一緒に連れてきた数頭の犬たちが、興味深そうにクジラの周囲を嗅ぎまわっている。風連のクマやアカは、食べられるかどうか試そうとしているようだ。他の犬たちも、クジラの残骸をチェックしている。初めて見る巨大な生命体の遺骸に興味があるのだろう。

テツの不思議な行動

八日。往路も苦戦した円丘氷山が再び待ち受けている。北村は、風連のクマとゴロのパワーに賭けた。この特殊な丘を制するのは、方向性や速力ではなく、力だ。この二枚看板が頼りになる。

二頭は期待に応えた。しかし、そうでないのが一頭。

円丘氷山をいくつか過ぎたあたりで、テツは明らかに遅れ始めた。舌をだらりと出し、ほとんどソリを曳いていない。それどころか他の犬に引きずられるように、よたよたついていくのが精いっぱいだ。

テツはリキとほぼ同じ年齢で、日本を出航した時は六歳だったから、もう七歳になるはずだ。老犬と言ってもよい。しかし、リキは若い連中を引っ張っている。それなのに、このテツはやる気があるのか。

北村は、延々と続く円丘氷山超えで疲れ、ストレスがたまっていた。いきなり感情が爆発した。

「ああ、もういい！　テツ！　お前はだめ犬だ！」

ソリを降り、テツに近づく。おどおどしているテツ。上目遣いで、許しを請うような表情をしている。その情けない顔を見て、北村の怒りが増幅する。

「なんだその顔は。疲れているのは、お前だけじゃないぞ」

テツが身をすくめる。

「仲間を見ろ。風連のクマを見ろ。ゴロを見ろ。必死にソリを曳いているじゃないか」

テツが下を向く。顔を上げようとしない。

「やる気があるのか。リキを見ろ。一番頑張っているぞ。お前、同じ年だろう。恥ずかしくないのか」

罵倒(ばとう)が止まらなくなった。こんなに感情的になったことはなかった。

テツはすっかりしょげ返っている。

頭のどこかでは、高齢のテツは体力の限界に達したんだと、わかっている。しかし、制御できない感情が冷静な対応を封じた。

「お前なんかソリを曳く資格がない。後から勝手についてこい」

中野も菊池も、北村の剣幕に驚いている。

——俺、どうしちゃったんだ？

北村も、なぜ感情を爆発させてしまったのか、わからなかった。

わからないまま、犬とソリ綱をつなぐナスカンを外した。ナスカンを外せば、犬は自由になる。とにかく、テツをソリから外さないと、ソリがまともに進まない。テツは勝手についてくるだろう。

「トゥ！（出発！）」

犬ゾリは再び走り始めた。

テツは、犬ゾリを追ってこなかった。北村が振り返ると、テツは怒鳴りつけた場所に座ったままだ。綺麗なおすわり。五〇メートル。一〇〇メートル。どんどんテツの姿が小さくなっていく。

「けがでもしているんじゃないのか」

中野が北村に声をかける。そんなわけはなかった。犬の負傷は重大なリスクポイントだ。感情的にはなったが、そこは真っ先に調べた。どこにも問題はなかった。だから叱ったのだ。

では、なぜ動かない？　叱られて、すねているのか？

どちらにせよ、このまま残していくわけにはいかない。北村は舌打ちしながらソリを飛び降りた。テツが座り込んでいる場所に駆け戻った。

「テツ！　すねてるんじゃないよ。それでも先導犬か」

再びきつく叱った。もしテツが叱られたことで反抗の意思を示しているのであれば、人間の命令を守るように、もう一度徹底しなければならない。嫌な役目だが、それも犬係の仕事だ。

北村の気持ちが通じたのか、テツがゆっくり立ち上がった。歩きだした。

「やれやれ。手を焼かせやがって……」

だが、テツが歩き出したのは、先を行く犬ゾリの方向ではなかった。テツは、もと来たルートを、とぼとぼと戻り始めた。北村は慌てた。

「おいテツ。違うだろ。そっちはボツンヌーテンだ」

テツは頭を下げ、肩を落とし、よろよろと来た道を戻り続ける。

「テツ！」

北村の大声に、テツが立ち止まった。ゆっくりこちらを振り返る。しかしテツはこちらに戻ろうとはせず、再び遠ざかっていく。北村に、もう選択の余地はなかった。慌てて追いかけた。

「悪かった。テツ。今のは、本当に俺が悪かった。お前もよく頑張った。本当だ。本当にそう思っている。お前が必要なんだ。なあ、テツ！」

北村はテツに懇願した。テツが再び立ち止まった。

「テツ。聞いてくれ。俺はお前にいてほしい。戻ってきてくれ」

北村は必死だった。少しの間をおいて、テツが北村に近づいてきた。

しかし駆け寄ってはこない。半信半疑。そんな様子だ。それでも、一歩一歩、テツは戻ってくる。北村は安堵し、激しく反省した。

——感情的になりすぎた。

高齢犬にとって、南極の環境は過酷すぎる。こんな年寄りの犬を連れてくるなんて。若い犬と同じようにやれというのが無理な話だ。それなのに、ひどい言葉をテツに浴びせてしまった。俺は……。

気がつくと、目の前にテツの顔があった。おびえていない。いつものテツだ。北村は氷原に手をつき、いつのまにか四つん這いになっていた。北村の顔を、テツがぺろぺろなめた。

南極の雪原を、一人の若い隊員と、一頭の老いたカラフト犬が行く。時々互いを見やりながら、先を行く犬ゾリを追っている。時には走り出し、時にはじゃれ合っている。

北村が手を叩くと、テツは尻尾を振り、北村の周りをくるくる回る。時々ジャンプする。北村が、かぶっていたニット帽をぽーんと放り投げた。テツは喜び勇んで取りに行く。

「さあ、返してくれ。俺の帽子だ」

テツはもちろん、帽子を返そうとはしない。もっと遊びたいのだ。

「こらっ、テツ。お前はやっぱりだめ犬だ」

笑いながら北村はテツを追いかけた。

獣医師の不在

一一月一一日。ボツンヌーテンへの大遠征を終えて、中野、菊池、北村の犬ゾリ隊は昭和基地に戻った。走行距離往復四三五キロを、二七日間で走破した。

この間に、基地では、おめでたがあった。メス犬シロ子が子供を産んだのだ。オス三頭、メス五頭が、一心不乱にシロ子の乳を飲んでいる。この子供たちは、適性を見極めたうえで、第二次越冬隊に引き継ぐというプランも出た。幼いうちはペットとして、オスはいずれ犬ゾリ隊の新戦力になるかもしれない。

成犬のカラフト犬は、慣れない人にとっては怖い存在だ。しかし子犬は違う。

「この子が一番美人だ」

「日本に戻ったら、こいつを家で飼いたいなあ」

隊員たちは口々に言いながら子犬を抱き上げ、そのたびにシロ子に唸られた。無邪気な子犬は、誰でも可愛い。

ベックの死、比布のクマの失踪。カラフト犬に関して暗いことが続いていただけに、新しい命の誕生は昭和基地を明るくした。

しかし、いいニュースは長くは続かない。

基地に戻って一週間が過ぎた頃、ゴロが重体に陥った。原因は尾の付け根付近にできた腫瘍。それが化膿し、つぶれて血膿がにじみ出ている。周囲の毛は抜け落ちてしまった。

痛みが激しいのだろう。あの元気なゴロが、ひゅんひゅんと悲鳴を上げている。立ち上がることすらできない。

「中野さん、なんの腫瘍ですかね」

菊池が心配して尋ねるが、中野医師は「確定診断はできん」と言う。無理もない。中野は解剖学が専門の医師で、人間の診療や治療はもちろんできるが、獣医師ではない。しかも基地には、まともな医療診断設備すらない。

人と犬の体の構造はさまざまな面で違うし、使う薬も当然異なる。人間の薬を犬に使えるわけではない。化膿した部分を消毒し、できるだけ清潔を保つように清拭をほどこす。

「ここまで悪化していては、現時点ではこれ以上のことはできない。様子を見よう」

中野医師の説明を聞いて、北村は後悔した。

実は、北村はゴロの腫瘍に気づいていたのだ。

ボツンヌーテンに向かう途中、円丘氷山と闘っていた時だった。一頭ずつ、体の状態をチェックしていると、ゴロのお尻の近くにできものを見つけた。気になって、軽く押してみたが、ゴロは痛がるそぶりを見せなかった。

——小さいできものだし、痛くもなさそうだ。問題ないだろう。

素人判断が大きな過ちだった。

もう一つ。北村の頭の中には、戦力としてゴロは絶対に必要だという計算があった。円丘氷山のように、スピードよりもパワーが必要なときは、体格がよく、曳く力が強いゴロは欠かせない。ゴロなくして円丘氷山は突破できない。そう判断し、腫瘍があることを知っていながら無理をさせた。

ゴロはあの時、いつもと変わらぬ頑張りぶりを見せた。しかし本当は、もうひどく痛かったのかもしれない。とにかく今は回復してくれることを祈るしかない。

いつの間にか、そばに西堀隊長が立っていた。ゴロの容態を悪化させたことで、北村が落ち込んでいるのを見抜いていた。

「ゴロに無理をさせた。そう思っているんだろう。だがな、北村」

隊長は、強い口調で続けた。

「自分がやらなきゃいけないと思った時は、それがどんなに非難を浴びようと、やる。それが探検だ。南極探検も同じなんだ」

それは叱責ではなく激励だった。北村の胸に熱く響いた。だが現実には、ゴロが負傷したことで、犬ゾリ隊は、風連のクマと並ぶ最強のエンジンを一つ失った。

テツも元気をなくし、建物内の一角で寝てばかりいる。

「テツは高齢だからなあ。けがはしていないし、老衰という見方もできる」

中野医師の見たてに、北村が質問した。

「二七日間のソリ曳きは、テツには無理でしたか。これから実施するプリンス・オラフ海岸の犬ゾリ探査は無理ですか」

中野は返答した。

「犬もそれぞれ体力は違う。年齢だけで断定はできんが、無理はさせたかもしれん。俺も反省しているよ。プリンス・オラフ？　無理に決まってるだろ」

思い返せば、ボツンヌーテンからの帰途、テツが取った行動はおかしかった。

まともにソリが曳けない状態になり、それにいら立った北村は、思わずテツを激しく叱責した。するとテツは、座ったまま動かなくなり、やがて、来た道を戻りだした。

あの異常な行動には、テツなりの気持ちがあったのではないか？

——自分はもう戦力にならない。もうだめみたいだから、消えます。

そういう意思表示だった？　まさか。いくら賢いカラフト犬でも、そこまで考えて行動するとは思えない。実際、その後北村が必死に説得すると、テツは戻ってきた。散歩するみたいに遊びながら、一緒に、先を行く犬ゾリを追った。

あの時のテツは、いたずらっぽい仕草も見せたし、飛び跳ねていた。老犬であることを、感じさせなかった。

いずれにせよ、横たわって眠り続けるテツは、ゴロ同様、次の探査には連れていけない。中野医師が無理だと言うのだから、仕方がない。

悪いことは重なる。デリーも原因不明の体調不良に陥った。基地に獣医師がいないというリスクが、徐々に鮮明になってきた。

最後の探査へ

プリンス・オラフ海岸探査の犬ゾリ隊は、一一月二五日に出発した。

越冬当初と比べ陣容は著しく寂しくなっている。一八頭いた曳犬のうち、ベック死亡、比布のクマ不明。さらに、ゴロが重体で、テツとデリーも体調が極めて悪い。戦力の三分の一弱を失った。わずか一三頭での出発だ。

こうなると、若いタロ、ジロも一人前の仕事を求められる。急きょ、一軍昇格だ。肉体的にきついポジションも、受け持ってもらわなくては困る。

カエル島、ボツンヌーテンが昭和基地の南方なのに対し、プリンス・オラフ海岸は北東方面に連なる。航空写真も地図もない、正真正銘の人跡未踏の地に挑むのは、西堀隊長と、犬係の菊池、北村の三人。

これが最後の科学調査だ。科学者、技術者ぞろいの越冬隊員であれば、誰だってこの広大で魅力的な南極を調査したいはずだ。無念の思いで自分たちを見送った隊員もいたに違いない。北村は、最後の任務を絶対に成功させなければと、胸に誓った。

西堀隊長は極地の経験が豊富だ。しかも観察力が鋭い。出発してすぐ、蒼氷の状態が危険なのに気づいた。

「おい、これは犬にとってまずいんじゃないか」

菊池も北村もわかっていた。

蒼氷の状態が普通であれば、適度な滑らかさなので犬は走りやすい。少々の積雪があっても軟らかければ何の問題もない。ところが、雪が硬化し、ザラメ化すると、事態は一気に深刻になる。今が、そうだった。

ザラメ化した雪の頂部は尖っている。いわば、細かなガラス片が蒼氷に散らばっているのと変わらない。ザラメの鋭い頂部は、カラフト犬の肉球をぷすぷすと突き刺す。

カラフト犬の肉球は一種の角質層で、とても硬く頑丈だ。それでも、この状態で走行を続ければ、少しずつ硬い部分が削られ、剥がれ落ち、やがて内部の軟らかい部分がむき出しになる。軟らかい部分は抵抗力が小さい。そこがザラメに切り裂かれ、出血する。はたしてどこまで犬たちが耐えられるか。今回の探査の成否は、ここにかかってきた。

頭数が少ないので、ソリには人の食料も犬の食料も最小限しか積めなかった。できるだけ荷重を減らすためだ。

犬の食料については、あらかじめ対策を立てていた。途中で遭遇したアザラシを捕獲し、解体した。その生肉を与えた。

出発から二日目の夜、通信用ラジオに急報が入った。

「テツが危篤状態だ。あまり長く、もたないかもしれない」

ラジオから聞こえる通信担当の作間の切羽詰まった声。西堀隊長、菊池、北村、三人は思わず顔を見合わせた。

オラフ海岸沿いの地図は存在しない。未踏の地だから当然だ。したがって、地図を作成しながら進んでいく。ポイントに着くたびに停止し、正確に測量して、また走る。

測量中は犬を休ませることができるが、それでも足の裏は悪化してきた。特に、今回の探査でいきなり重要なポジションにつかされ、曳く負荷が一気に増えたタロの足の具合は深刻だ。肉球の固い角質層の部分がほとんど削り取られ、軟らかい内部がのぞいている。人間でも、表皮がめくれたら、その下の皮膚は触っただけで痛い。初日に懸念したことが現実になりつつある。

昭和基地から相当離れてしまったため、ラジオの電波が届かない。テツは死んでしまったのだろうか。いや、何としても生きていてほしい。

三〇日。ついにタロが足裏から出血した。

蒼い氷原は、無限に続く剣山のようなものだ。カラフト犬の肉球は年齢を重ねるごとに厚く角質化し、硬くなる。しかし一番若いタロの肉球は先輩犬と比べると十分に硬いとはいえない。そこが弱点だった。タロの肉球の角質層は失われ、ついに内部が切り裂かれた。痛みが走るのだろう。リズミカルだったタロの走行が崩れた。跛行（はこう）するようになった。足を引きずり、小さくぴょんぴょんと不自然な動き。それでもタロは走るのをやめようとはしない。

犬も、甘えていいときと、許されないときがわかるのだろうか。少し前のタロであれば、こういう状態になればすぐにきゃんきゃん鳴いただろう。そのタロが今、足先を血だらけにしながら、悲鳴一つ上げずに走っている。

タロの無言の頑張りが伝わったかのように、先輩たちもペースを合わせて走り続ける。

タロは、ジロ、サブロと一緒に生まれた三兄弟だ。父親は北海道上川郡風連町出身の風連のクマ。カラフト犬集めに奔走していた北海道大学農学部の芳賀良一助手が稚内市内で見つけた。

北村が稚内市に設けられた樺太犬訓練所に行ったとき、三頭はまだ子犬で本格的な訓練は無理だった。それでも引き綱の最後につけてもらって、ちょこちょこと走っていたのを思い出す。ただ、サブロは残念ながら体が弱かった。

カラフト犬調教師の後藤直太郎は、タロとジロを見て驚いて言った。

「とてつもなく生命力が強い。二、三歳になったら素晴らしいソリ犬になる」

後藤の予言どおり、あの幼かったタロが、今や中心的存在になって犬ゾリ隊を牽引している。

だが出血を放置しておくのはまずい。応急手当はするのだが、患部が足の裏だけに、包帯を巻いてもすぐにほどけてしまう。しかもガーゼぐらいの厚みでは、ザラメは削られた肉球の内部に容赦なく食い込む。痛みの解消にはならない。

「待てよ、この手があるぞ」

突然、西堀隊長がソリを止めさせた。荷物の中から取り出したのは、分厚い人間用の手袋だ。

「どうするんだ、あんなもので」

菊池が不思議そうに隊長の行動を見ている。

隊長はタロの患部にガーゼをあて、ばんそうこうで止めたうえで、手袋を足に履かせた。最初は嫌がったタロだったが、履いてみると痛みが薄らいだのだろう。そのまま走り始めた。アイデアマン西堀のひらめきが生きた。

ただ、出血はタロだけではなかった。モクも、シロも、ジロも、次々に肉球の角質層が剥がれ落ち、内部が破れ、足先が血だらけになった。彼らにも、同じように人間用の手袋を履かせた。タロに至っては、今や四本の足すべてに手袋を履いている。

北村はソリを停めた。犬たちがあまりに可哀そうだと思ったからだ。犬たちに駆け寄り、足の状態を確かめた。手袋の外側に、血が滲み出している。

「こんなになるまで……。痛くてたまらないだろう」

思わず、北村は犬たちを撫でようとした。そうすれば犬は喜ぶからだ。しかしこの時、犬たちはしっぽを振らなかった。タロもポチもクロも北村をじっと見ている。意識を集中している。

――ひょっとして、俺の命令を待っているのか？　足が痛いのに、それでも走る気なのか？

犬たちの気持ちが、ひと塊となって北村の心に飛び込んできた。犬たちは、人間と苦楽を共にする同じ越冬隊員なのだ。その思い。その連帯感と至福感が、北村を包み込んだ。

熱いものがこみ上げ、北村は犬ゾリの後方を見やった。

白い氷雪に、赤い血の帯が一直線に延びている。それは、人間と一緒にソリを動かすのだという、カラフト犬の燃え盛る意思の色だった。

テツの死

地図作成を主眼とした探査自体は順調だった。フラットゥンガ―第一露岩―タマ岬―オメガ岬―屛風岩―二号岩。そして一二月一日。日の出岬西南海氷上に到達した。測量を終え、帰途に就いた。犬たちの負傷、残りの食料、気象条件を考えると、ここまでだ。

一〇日午前。昭和基地に帰還した。一六日間、全走行距離三五五・二キロ。犬たちはガラス片のように鋭いザラメ雪に肉球を裂かれ、足を血まみれにしながら、よく頑張った。もうこれで犬ゾリ隊の任務は終わりだ。第二次越冬隊に引き継ぐまで、犬たちは基地周辺でのんびり休養させてやろう。

基地の建物の前に、中野医師が待っていた。ベックの時のことが北村の脳裏によみがえり、嫌な予感がしたが、その予感は外れた。

「北村君。テツは生きているぞ」

そのひと言で、ほっとした。中野と一緒に、テツが療養している部屋に行く。テツは、確かに生きていた。ただ、立ち上がることはできそうにない。

「テツ！　心配したぞ。あの時は、すまなかったなあ」

北村は、ボツンヌーテンの帰りにテツを叱責したことを謝り、両手をテツの耳の下に差し入れて、優しくくすぐった。

テツは目を細め、少しだけ尻尾を振り、小さく「く～ん」と甘え、北村の手をなめた。

「一時はだめかと思ったよ。君たちが出発して二日目だった。いきなり激しい痙攣を起こして、意識不明になったんだ」

中野が当時の様子を説明してくれた。

ブドウ糖注射を打ち、すぐにラジオ無線で連絡を入れた。その後テツは持ち直し、意識が戻った。それまで何も食べなかったのに、砂田が白米で作った料理を少しずつ食べ続けたという。中野が続ける。

「ベックが死んだ時に、西堀隊長が言ってたそうじゃないか。犬ゾリ隊の犬の鳴き声を聞いて、瀕死の状態だったベックが小さく鳴いたと」

「ああ、そうでした」

「実はテツも同じだった。犬ゾリ隊の犬たちが遠くから吠えているのが基地に聞こえてきた。そしたら眠っていたテツが目を覚ましたんだ。ベックのように鳴くことはなかったけどね。でも尻尾は振っていたよ」

そうだったのか。ともあれ、テツが生きていてくれてよかった。

ドッグフードを少し与えると、テツは美味しそうに食べてくれた。北村は心から安心した。

テツが死んだのは、その夜のことだった。


昭和基地の一室。冷たくなったテツのむくろに、タオルをかけてやる。彼が南極で頑張った証である首輪を、弔花の代わりにテツのそばに供えた。テツは日本を出航した時すでに六歳だったから、享年七歳ということになる。

高齢なので体力がなく、体重も、一歳のタロでも三三キロなのに、三〇キロしかなかった。小柄なので、元気な時でも他の犬と歩調が合わず、ソリ曳きには向かなかった。他のオス犬は厳寒の外で寝起きしても平気なのに、テツは寒がりで建物内に入りたがった。

そんなテツを、だらしないやつだと思ったことはなかったか？　使えないやつだと、偏見を持った評価をしていなかったか？　北村は犬係として自問する。

確かに頼りになる戦力ではなかったかもしれない。しかし、そんな老犬を南極に連れてきたのは自分たち人間だ。飼い主から引き離され、一万キロ以上も船に揺られ、彼にとっては寒すぎる地で、若くて力が強い犬たちと一緒にソリを曳かされる毎日。肉体的、年齢的ハンディを抱えるテツにとって、南極は厳しすぎた。

テツの遺体が安置されたこの部屋には、北村しかいない。たった一人の会葬者で営まれるテツの葬儀。

もちろん、隊員たちは「残念だったな」「テツは年寄りなのに頑張ったよ」と北村をいたわり、葬儀にも出ようとした。おそらく西堀隊長が「犬係だけにしてやれ」と言ったのだろう。菊池もテツの亡骸を見るのがつらかったのだろう。来なかった。その気持ちも、北村はよく分かる。それでいい。

誰もいない静寂の中で、北村の思考はより深くなる。

ベックは、犬ゾリ隊がユートレ探査から帰ってきた日の夜に死んだ。しかしその時は、犬ゾリの帰着と、ベックの死が重なったのは偶然だと思っていた。

しかし、オラフ海岸から帰った日の夜に、テツも同じように死んだ。

偶然だと思ったことも、二度も同じことが続けば、それはもう偶然ではないだろう。そこには、犬の強い意思が働いていたとしか思えない。科学者が非科学的な考えにとらわれてはいけない。それはそうだ。しかし——。

人間と同じように、犬にも感情があり、意思がある。北村の心の中には、この思いが膨れていき、もはやゆるぎない確信となっている。テツのことだけでなく、南極でのこの一年間、犬たちとの日々で、北村の犬に対する考え方は大きく変わった。

ボツンヌーテン探査で、犬たちは円丘氷山との苦闘に疲れ、立てなくなった。北村は一頭、一頭に寄り添い、話しかけた。お願いしたと言ってよい。

「頼むぞ。お前たちだけが頼りなんだ。一緒に頑張ろう」

するると、まったく動けない状態だった犬たちが、北村の号令で一斉に立ち上がり、円丘氷山を乗り越えた。あれは、北村の必死な思いが犬たちに伝わったからではないか？

人間と同じように、犬にも矜持がある。犬なりの誇りをもって、生きているのだ。そう考えると、テツがボツンヌーテンの帰りに反対方向に戻っていったのは、運命を悟り、自ら去ろうとしたのではなかったのか。考えすぎだろうか？

北海道の稚内市に設けられた「樺太犬訓練所」での犬ゾリ訓練を思い出した。あの時の自分は、カラフト犬のことを何も知らなかった。どう猛なカラフト犬を従わせ、犬ゾリを自在に操れるようになるためには、犬が反抗したら殴れと教えられた。犬には人間のような知性や誇りなどない。犬とはそんなものだと思い、北村はこん棒で殴った。南極に来て、その考えがいかに大きな過ちであったかを思い知らされた。

ベックが息を引き取った時の衝撃は大きかった。悲しみ以外に、何もなかった。北村は、一緒にいてくれた西堀隊長に気づかれないように、声を上げず男泣きした。

今、テツの亡骸を前にして、北村はこみ上げる涙を必死にこらえた。もう、泣いてはいけない。

一緒に頑張ってきた犬が死んだのだ。悲しいのは当たり前だ。しかし、犬と接してきた人間として、悲しんでやるよりも、犬のプライドをしっかり受け止めるべきだ。そういう思いが、より強くなった。泣くのではなく、褒めてあげなければ。

「テツ。お前、本当によくやった。たいした爺さんだった」

誕生、成長、そして死。命あるものにとって、それは避けられない運命だ。どう生きたか。

それが大事であり、犬も人間も同じだ。テツ、さようなら。

北村は外に出た。南極の冷気が、北村に現実を知らせる。そうだ。もうすぐ第二次越冬隊が
やってくる。残った犬たちを、しっかり引き継がなくては。

第三章　絶望

（一九五七年一二月～一九五九年三月）

氷海を進む
南極観測船「宗谷」

最後の任務

一九五七年一二月下旬。南極観測船宗谷（そうや）は、昭和基地を目指して氷海を南下していた。宗谷から昭和基地に入電。接岸予定は一九五八年一月八日。宗谷には第二次南極地域観測隊五〇名が乗船している。隊長は第一次に引き続き永田武。副隊長で、第二次越冬隊の隊長となるのは村山雅美（横浜国大）だ。ここから二次越冬隊員二〇名が一次越冬隊と交代し、新たな越冬活動を開始する。

交代時期が近づくにつれて、第一次越冬隊の一人一人には、ふわふわとした不思議な感情が生まれていた。日本人初の南極越冬。その経験は一生の宝だ。もっとここで研究したいという科学者としての欲求。一方で、一年以上も離れ離れになっている家族や友人たちと一日も早く会いたい望郷の念も募る。

「許されるなら、もう一年越冬したいな」

「いや、日本に戻って、南極で得た知見を仕事に生かしたいよ」

「早く妻や子供の顔を見たい。まさか、俺を忘れちゃいないだろうな」

一年間、苦楽をともにした一一人は、それぞれの思いを交わし合いながら、二次越冬隊との引き継ぎ作業を着々と進めた。

北村も菊池も、犬ゾリを曳くカラフト犬データの整理に追われていた。一五頭のオス犬に対する調教のポイント。それぞれの犬の性格や行動の癖などを書き記したメモ。ユートレ島を含む四度の犬ゾリ探査レポートなど、第二次越冬隊の犬係に引き継ぐ項目は山ほどある。

シロ子が生んだ八頭の子犬については、そのまま基地に残し、南極生まれのカラフト犬が役に立つかどうかを検証するという、非公式なプランも立てていた。

そんな時、子犬六匹が行方不明になった。オスのボト、ヨチ、マルは、南極に残ることになれば、犬ゾリを曳く新戦力として試される時が来るだろう。メスのユキ、ミチ、チャコ、スミ、フジも、南極にとどまれば、シロ子のように将来子供を産む可能性がある。

いずれにせよ、日本の南極観測隊としては初めて得た南極生まれの子犬たち。プランが実行されるか否かに関係なく、一頭たりとも失うわけにはいかない。菊池と北村だけでは人手も時間も足りないため、隊員総出で捜索した。

やがて、基地からかなり離れた場所で子犬が見つかった。なんと母親のシロ子が子犬たちを引き連れて基地の外に出ていたのだった。シロ子だけは係留しておらず、日頃は建物の一角で子供と一緒にいたのだが、いつのまに移動したのだろう。

「基地が慌ただしいから、うるさいと思って散歩でもしていたのかな」

「それにしては、遠すぎないか」

隊員同士であれこれ話し合った結論は、母性本能がなせる業、ということになった。

トラやライオンなどの野生動物でも、母親は子供たちに危険な場所、安全な場所、天敵がいる場所、水がある場所など、生きていく上で必要な情報を教え込む。

シロ子も、自分の行動範囲である昭和基地周辺の危険な場所、ペンギンやトウゾクカモメなど子犬にとっては脅威になるかもしれない生き物の棲息場所を教えていたのだろう。そういう推論だった。

子犬たちにとっては昭和基地が故郷である。故郷の地理情報を熟知しておくのは、生きていく可能性を高めることになる。

「立派なお母さんだな、シロ子は」

隊員たちは、カラフト犬の母性本能を目の当たりにして、日本にいる母や妻を想った。

ともあれ、第二次越冬隊との交代時期が目前に迫っている。一次越冬では、想定していたこと と、実際に経験したことの落差が大きすぎるケースが多々あった。一年間に得たノウハウを、昭和基地に到着した二次越冬隊にしっかり引き継いで、宗谷に引き揚げる。それが一次越冬隊の最後の任務だ。完璧に準備しなければならない。

さいわい、作業はおおむね順調で、天候もよい。犬たちも休養十分で元気いっぱい。第二次越冬隊との交代は、まったく問題ない。

年が明けて一九五八年一月三日。三日前から吹き荒れたブリザードの影響で、宗谷は身動きできない状態になっていた。宗谷の周囲から海は姿を消し、押し固められた分厚い氷が二〇キロ四方に広がっている。巨大な氷盤に取り囲まれてしまった。

身動きできないだけではなかった。宗谷を閉じ込めた巨大な氷盤は、海流に乗って西へ西へと移動している。宗谷は氷盤ごと西へ流されているのだ。せっかく昭和基地まであと一四〇キロに迫っていたのに、今はどんどん遠ざかるばかり。どうしようもない状況に陥ってしまった。

宗谷は最善を尽くしたが、一〇日たっても氷盤から脱出することができない。事態を重く見た文部省の南極地域観測統合推進本部は一月下旬、米国に対し、宗谷が氷盤から脱出できるよう、部分的支援を要請した。

永田隊長には、強い思いがあった。これは日本の南極観測だ。日本だけの手でやり遂げたい。外国の力を借りたくない。一次の時も外国の支援を受けた。何とか自力で氷盤を脱出したい。

だが、その願いは通じなかった。二月一日。宗谷のスクリューが一部損壊した。左舷スクリューの四枚羽のうち、一枚が折れてしまったのだ。

統合推進本部は、スクリュー損壊に衝撃を受け、ただちに動いた。米国に救援を依頼したのだ。一月下旬の要請は「部分的支援」だった。しかし今回の依頼は、本格的な全面援助。もう、外国には頼らないなどと言ってはおれない。

この要請を受けて、米国のバートン・アイランド号が宗谷の救援に向かった。しかし、この時、両船は一六〇〇キロも離れていた。ようやく合流できたのは七日の夜だった。

この救援で、見通しは一気に明るくなった。バートン・アイランド号のパワーは素晴らしかった。宗谷では歯が立たない分厚い氷盤を、いとも簡単に割り崩し、ぐんぐん突き進む。宗谷はその後をついて行けばよい。このまま進めば、昭和基地に再接近できる。

「これで、もう大丈夫だ」

第二次観測隊に、ようやく安堵感が生まれた。外国の手を借りたにせよ、昭和基地へのルートが確保できたのだ。交代の準備を急がなくてはならない。慌ただしくなった。

二次越冬隊員は私物の再確認をおこない、いつでも南極基地に入れる準備を整えた。使命感に燃えていた。ようやく自分たちの番が来た。一日でも早く基地に入り、一次隊と交代して業務を開始したい。

混乱する引き継ぎ

八日、宗谷に搭載された小型飛行機の昭和号が、昭和基地目指して発進した。

基地では、手が空いている隊員たちが戸外に出て待機。宗谷から飛来する一番機を待っていた。やがて北の方角に機影を確認した。みるみる近づいてくる。いつもは静かな南極に響く爆音は、文明の音だった。

昭和号から数個の物資が落とされ、パラシュートの花が開く。

調理担当の砂田が全速力で駆けていく。昭和号が落とした物資の一部は、新鮮な食料だった。冷凍肉、キャベツやトマト、フルーツ。それらは、九カ月間、越冬隊員たちが口にできなかった食材だった。

前年五月に、海氷に穴を掘って作った天然冷凍庫の下部に海水が浸入し、多くの冷凍肉や冷凍魚が海水漬けになった。その後は、被害を免れた食材だけで工夫するしかない日々が続いた。昭和基地のシェフとして、砂田は腕の振るいようがなかったのだ。

その夜、隊員たちは砂田シェフ入魂の肉料理を堪能した。食材はあと少し残っているから、明日、明後日ぐらいまでは、豪華な食事が楽しめそうだ。

食後、西堀隊長は、パラシュートで投下された家族の肉声テープを聞くために隊長室に引き揚げた。隊員たちは、それぞれ家族や友人からの手紙をむさぼり読んだ。一万キロ以上離れた日本が、そこに感じられた。

腹は満たした。心も満たされた。引き継ぎ準備も完了した。明日にも第二次越冬隊が昭和号で基地にやって来る。引き継ぎを終えたら、自分たちは宗谷に帰る。そして、故国日本に帰るのだ。

九日。その昭和号が、基地に飛んでこない。

「どうしたんだろう」

「準備が遅れているのかな」

来ると思っていたものが来ないと、途端に不安になる。しかも連絡がない。

宗谷と基地は、毎日定時に連絡を取ることになっていた。しかし宗谷からはまったく音沙汰がない。夜の定時連絡は午後一〇時。それから二五分が過ぎて、ようやく第二次越冬隊長の村山から連絡があった。しかし、その内容は不可解なものだった。

「明日一〇日、昭和号がそちらに飛ぶ。西堀越冬隊を全員宗谷に収容する。準備しておいてほしい」

――ちょっと待て。いったい、何を言ってるんだ。

その場にいた全員が首をひねった。

「二次越冬隊がまず、ここに来るんだろう?」

「そうしないと、基地で引き継ぎができないぞ」

「そもそも収容って何だ？　まるで俺たちが遭難しているみたいじゃないか」

誰もが村山の伝達に混乱している。やがて第二次観測隊長の永田の声が聞こえてきた。

「一六日までに第二次越冬隊を送り込む。とにかく、一次越冬隊は明日、全員宗谷に帰ってもらいたい」

　こんな奇妙な引き継ぎはない。

　まず第二次越冬隊員が昭和基地に来る。一次越冬隊と十分な引き継ぎ業務を行う。それが完了して、第一次越冬隊は宗谷に引き上げる。宗谷船内ではなく、昭和基地で引き継ぎを行う、それには実務的な理由があった。

　この一年、基地ではさまざまな想定外のことが起きた。何もかもが初体験だったからだ。トラブルが発生する理由も、さまざまな機材や施設の安全な活用方法も、基地にいなければ実感できない。そうした、皮膚感覚で理解するようなノウハウは、基地でなければ説明しづらいし、説明を受ける側も、なかなか理解が難しい。

　どう考えても、昭和基地で合流し、一次隊が二次隊を現場案内するなどして、細大漏らさず引き継ぎをする必要がある。どうしても、二次越冬隊に先に基地に来てもらわなくてはならない。宗谷からの指示は、納得しがたいものがあった。

　西堀隊長は全員を集め、二次隊からの指示を伝えた。猛烈な反発の声が出た。

「そんな馬鹿な手順はない」

「基地でなければ説明できないことが山ほどある。宗谷に持っていけない機材や資料もあるんですよ」

「我々が引き揚げ、二次隊が来るまで、わずかな日数でも基地が無人になる。それはまずいでしょう」

誰も納得しなかった。西堀隊長は板挟みになって、頭を抱えた。

ともかく、明日一〇日には一番機が基地に到着するという。それに立見隊員を搭乗させることになった。

①二次隊との引き継ぎは、昭和基地で行う。

②二次越冬隊が基地に来られない場合は、一次越冬隊が継続越冬する。

この二点を、宗谷にいる永田隊長や村山越冬隊長に訴える。立見の責任は重大だった。一〇日午後、立見は一番機で宗谷に戻った。久しぶりの船体だが、懐かしんでいる余裕など、もちろんない。

――早く、永田隊長に直訴しなければ。どこにいるのだろう。

立見は、二次隊員をつかまえては、隊長の居場所を聞いて回った。何人目かで情報をつかんだ。

「ああ、永田隊長だったらヘリコプターで氷上偵察に出ています」

――なんだと。宗谷船内に観測隊の最高責任者がいない？

その理由を詮索している暇はなかった。トップがいないのであれば、ナンバーツーだ。それに、第二次越冬隊の準備がどうなっているのか、具体的に知りたい。立見は村山越冬隊長を探した。村山は、二次越冬用の荷物を運搬する総指揮を執っているらしい。宗谷から海氷面に降りて、走り回って探すが、どこにも見当たらない。

立見は茫然とした。このままでは、一次隊の意思を二次隊に伝えることができない。時間だけがどんどん進み、とうとうこの日、立見は永田にも村山にも会えず、一次隊の希望を伝えることができなかった。

立見は宗谷から基地に連絡を入れた。

「申し訳ありません。二人には会えませんでした」

「じゃあ、基地からの要望は伝えていないのか」

「はい。二人ともどこにいるのか……」

「そんなわけないだろう。子供の使いじゃないぞ」

珍しく、西堀が激高した。しかし、怒鳴ったからといって、事態を打開できるわけではない。立見からの連絡を受けた後、西堀隊長は隊員たちに告げた。

「やむを得ない。明日一一日、いったん宗谷に帰還しよう」

その指示に納得する越冬隊員はいなかった。全員が不満だった。だが隊長の指示には従わなくてはならない。

ただ、帰還する際にメスの子犬だけは一緒に宗谷に連れ帰ることになった。北村の提案だった。今の計画では一次越冬隊が宗谷に引き揚げた後に、二次越冬隊が昭和基地に入る。一時的にせよ基地がからっぽになってしまう。もちろん二次隊はすぐに基地に来るだろうが、無人状態が生じるのは懸念材料ではある。念には念を入れるべきだ。それは厳しい南極で一年間越冬した経験値だった。

オスの成犬一五頭は引き続きソリ犬として二次越冬隊に引き継ぐ計画だ。オスの子犬はそのまま基地で育て、いずれ犬ゾリを曳く新戦力にする。子犬の母親シロ子も基地に残す。しかし、ソリの曳犬(ひきいぬ)になれないメスの子犬たちには任務がなかった。宗谷に連れ帰っても問題はない。

北村は越冬仲間に訴えた。

「全員が、私物を少しずつ基地に残していきましょう。そうすれば飛行機の積載可能重量をオーバーすることはありません」

真っ先に同意したのは西堀隊長だった。

「そうだな。私は荷物を置いていく。南極に犬を連れてこようと言い出したのは、自分だからな」

名札と首輪

一一日になった。第一便には、北村が搭乗することになっている。

北村は朝から犬たちの首輪に名札を付ける作業をしていた。犬たちを係留する場所は、時期や天候で何度か変更した。今は、基地の東側に係留している。犬たちは雪の上に思い思いに座ったり寝転んだりしている。北村がつけている名札は、木片を赤く塗り、それに犬の名前を書いたものだ。外れないように、名札をしっかり犬たちの首輪に括(くく)りつける。

「紋別のクマ」「デリー」「クロ」……。犬に名札を取り付けるのはもちろん初めてだったが、意外に似合う。犬たちは、何をしているんだろうという表情で、北村を見つめている。

犬たちにとって、首輪は人間との信頼関係や、人間とのつながりを実感できるものだ。自分の臭いも染み付いている。だから首輪をつけられると、むしろ安心するようだ。

しかし、ブラブラ揺れる木札は違和感があるのか、神経質なアカや紋別(モンベツ)のクマは気に入らないらしく、時々首を振っている。そうされても、名札は必要だった。

カラフト犬は優れた能力を持つが、信頼関係を築かなければ、犬たちを自在にコントロールするのは難しい。しかも、一頭ずつ性格がまるで違う。それぞれの特徴や性格を記した引き継ぎ帳は作っている。しかし、二次越冬隊の犬係は、どの犬がシロなのか、ゴロなのかわからない。それでは困るだろう。メスのシロ子は別として、オスの曳犬は一五頭もいるのだ。犬たちには我慢してもらおう。いずれきっと役に立つ。

「いいか、ゴロ。すぐに二次隊が来る。可愛がってもらえよ」

「リキ。リーダーとして頼んだぞ」

「おい、風連(フーレン)のクマ。お前、二次隊員に逆らうなよ」

「ポチ。お前が実は一番大食漢だってことは引き継いでおくからな」

一頭ずつ頭を撫でて、言い聞かせる。

じっと北村の目を見て聞くゴロ。横を向いている風連のクマ。しかしクマはちゃんと聞いてはいるのだ。そういう性格だったな。

この一年、犬たちとはいろいろあった。

初走行の大失敗。絶えない犬同士の喧嘩(けんか)。餌の缶を開ける作業のつらさ。ユートレ島探査時のリキの失踪と生還。その間に起きたベックの死亡。思いもしなかった比布(ピップ)のクマの失踪。ボツンヌーテン探査での円丘氷山との苦闘。乗り越えた先に待っていた、人と犬の気持ちがつながった至福感。複雑な思いが残るテツの死。傷だらけになって走ったオラフ海岸。その過程でたくましくなったタロとジロ。すべて、一生忘れることはない。

オーロラ研究の科学者としての任務もあった北村だったが、その研究成果よりも、犬係としての経験は大きかった。

北村の人生に、それまで犬は存在していなかった。犬など、人間の知性に遠く及ばないものだ。そう信じていた。それが、この一年間で一八〇度変わった。人生観そのものが変わった。そのかけがえのない仲間たちを、しっかり二次越冬隊に引き継がなければならない。

名札付けの作業前に、第二次観測隊長の永田から、犬に関する指令が届いた。

「二次越冬でも、カラフト犬は絶対に欠かせない。犬が逃げ出さないように、しっかり固定せよ」

言われるまでもない。カラフト犬が逃げ出したら大変だ。カラフト犬は首輪抜けがうまい。アンコやジャック、シロたちは特にそうだった。

犬たちの首輪抜けを何度も経験している北村や菊池であれば、どうにかなる。しかし信頼関係がない二次越冬隊員が来た時に首輪抜けした場合、犬たちがどういう行動を取るのかは想定できない。少なくとも、二次隊員では捕まえるのは無理だろう。下手をすると遠くに逃げ去るかもしれない。基地を離れた犬を待っているのは、おそらく死しかない。

ソリ犬は越冬隊にとって隊員同然の大切な戦力だ。そうしたミスによって、一頭たりとも失ってはならない。

北村はそう考え、犬たちの首輪の穴を、いつもより一つ、きつめに締めた。二次越冬隊のためだけではない。犬のために、意識して強く強く、首輪を締めた。

別れの時が来た。犬たちは新しい犬係のもとで、次の一年間を送る。

——しっかりやれよ。この一年、お前たち、本当によくやったな。

最後に、一番若いタロとジロを優しく撫でて、北村は犬の係留地に背を向けた。振り向けば感傷的になる。そんな気がして、北村は真っすぐ昭和号に向かった。

一五頭の犬たちは、赤い名札を胸に、係留地におとなしく座っている。少しずつ遠ざかっていく北村の背中を、犬たちが見ている。

昭和号がエンジンを回し始めた。北村は、体重二〇キロはある子犬一頭を抱え、カナリア二羽が入った鳥かごも携え、搭乗した。エンジンがうなりを上げる。雪面を滑走したのち、ふわっと浮き上がった。離陸した。

その時だった。係留地に座っていた犬たちが、突然立ち上がり、一斉に咆哮した。

うおーん、うおーん。

エンジン音の壁を突き破って、犬たちの激しい咆哮が、確かに北村の耳に届いた。

思わず眼下を見れば、あの冷静沈着なリキが吠えている。ゴロが、鎖を引きちぎらんばかりに飛び跳ねている。日頃おとなしいシロも、我を失ったように、くるくる回っている。犬たちが、こんなに激しく一斉に吠えることは、今までなかった。

北村の心に突き刺さるような遠吠え。あいつら、悲しいのか？ いや、そんなことはない。あいつらは、俺に頑張れよと言っているのだ。北村は、そう思った。

昭和号が基地上空を旋回しながら、ぐんぐん高度を上げる。一五頭の犬たちは、白い雪面に並ぶ黒い粒になってしまった。もう、犬たちの咆哮は届かない。北村は、心の中で犬たちに別れを告げた。

――お前たちも二次隊で頑張れよ。さようなら。

犬たちを、南極に置き去りにする。そんなことなど、夢にも思っていなかった。

予期せぬ勧告

北村を皮切りに、第二便で菊池、佐伯と子犬四頭。第三便で西堀隊長、作間と子犬一頭、猫一匹。第四便で中野、村越、大塚。隊員たちは次々に昭和号で基地を後にした。前日の立見、藤井、砂田と合わせ、一次越冬隊は全員が宗谷に帰船した。結局、子犬はメス五頭に加え、オス犬も一頭連れ帰った。合計六頭だ。

昭和基地での引き継ぎという一次隊の希望は叶わなかったが、基本的な引き継ぎは船内でもできる。とにかく、日本人として初めての南極越冬を一人の犠牲者も出すことなく成功させたのだ。越冬中に二頭のカラフト犬が死亡、一頭が行方不明になったが、残る一五頭のオス犬と、一頭のメス犬は昭和基地に健在だ。二次隊で大いに貢献するだろう。それにオスの子犬二頭もいる。

八頭の子犬のうち六頭は宗谷にいったん帰船させた。再び基地に連れていくか、このまま日本に向かわせるか。それは二次隊の考え方次第だ。一次越冬隊としての任務は果たした。

「ごくろうさま。よくやった」

永田第二次観測隊長、村山第二次越冬隊長はじめ、多くの隊員や宗谷の船員たちが一一人を取り囲み、肩を叩き、ねぎらった。

外では、二次越冬のための資材がどんどん海氷面に下ろされ、次々に基地に向けて運ばれている。二次隊員たちも、宗谷の船員たちも、多くが走り回って二次越冬に向けた作業を進めている。

その様子を見ると、情報が乏しく不安感を抱えていた一次越冬隊員たちも、ようやく緊張が解けていった。多忙な中、簡素な帰還祝賀会が開かれ、一一人はカメラの前で満面の笑みを浮かべた。

「とにかく、俺たちはやり遂げた」

「二次越冬の準備も着々進んでいるし、これなら安心だな」

「早く、引き継ぎをやりましょう」

引き継ぎ作業が完了すれば、ただちに二次越冬隊が基地に向かう段取りだ。

「あとは、頼みますよ」

北村も、村越も、作間も、それぞれ自分の職務を受け継ぐ二次越冬隊員たちに声をかけた。

「任せてください。本当にごくろうさまでした」

頼もしい返事が返ってくる。

一次越冬隊の達成感や安堵感、二次越冬隊の高揚感に包まれた船内の一室は、不安な空気などみじんもなかった。はじけるような笑顔だけが、そこにはあった。

宗谷船内では、休む間もなく第二次越冬の作戦会議が開かれた。時間がないのだ。

二〇人の陣容で臨むはずだった第二次越冬隊は九人に縮小された。縮小したことによって、必要な資材は六トン弱で済む。しかも二トンはすでに基地に運ばれていた。残るは四トン弱。昭和号は一度に三〇〇キロの資材を運べる。一日六往復できるので、二日あれば達成できる残量だった。

一二日。第二次越冬隊の先遣隊として、守田康太郎（気象担当）、丸山八郎（機械担当）、中村純二（オーロラ観測）の三隊員が宗谷から昭和基地に入った。越冬が可能であるかどうかの確認と、越冬する場合に本隊がスムーズに着任できるように受け入れ態勢を整える任務だ。いよいよ第二次越冬が動きだした。

しかし、この年の南極の気候は極めて不安定だった。気温が例年より低いために、開水面があっという間に新氷へと変化していく。電波の通信状態も極めて悪い。バートン・アイランド号がそばにいるからといって、安閑（あんかん）としてはいられない状況になりつつあった。

そのバートン・アイランド号のブラッチンガム艦長から宗谷に連絡があったのは一三日だっ

た。

「重要な要件があります。当艦まで来てほしい」

永田隊長と、宗谷の責任者である松本船長がヘリコプターでアイランド号へ飛んだ。

ブラッチンガム艦長の説明と勧告は、次の四点だった。

①周囲に新氷が張り詰めつつあり、状況は徐々に悪化している。
②これ以上、現在地に留まれば、両船とも氷に閉じ込められる可能性がある。
③日本隊は、昭和基地に送り込んだ第二次越冬隊の三名を収容してほしい。
④収容完了後ここを離脱し、いったん外海に出てはどうか。

決して命令ではなく、説明と勧告ではある。しかし、移動に関してアイランド号に一〇〇パーセント依存している日本側としては、拒否することはできなかった。

永田は、事実上丸飲みするしかなかったが、最後に付け加えた。

「日本隊としては、外海に出ても、二次越冬のための空輸の努力は続けたい」

永田隊長は宗谷に戻ると、関係者全員を食堂に招集し、米国側の勧告を説明した。その内容に、北村は驚愕した。

せっかく昭和基地に送り込んだ二次越冬隊の三名を呼び戻し、宗谷は外海に離脱するという。永田隊長は「第二次越冬隊を送り込む努力は捨てない」と言ったが、もはやそれを信じることは難しかった。遠方から人間だけ送り込めば済むわけではない。食料も資材も必要なのだ。必要なものを遠く離れた外洋からすべて運び込む。そのようなプランが成功する確率は極めて低いように思えた。

もし失敗したら、二次越冬隊のために基地に残してきた犬たちはどうなる？　オス犬一五頭は首輪をきつく締められ、頑丈な鎖で係留されている。置き去りにするのか。アンコやジャックやクロたちを見捨てるのか。シロ子だって、まだ基地にいるんだぞ。そんなこと、許されるわけがない。絶対だめだ。だが、事態は急速に最悪の方向に傾いていき、自分はそれを止めることができない。

せめて首輪だけでも

首輪――それが問題だった。この一年間、犬たちはたびたび首輪から抜けた。宗谷に戻る前に届いた永田隊長の指示。

「二次越冬でも、カラフト犬は絶対に欠かせない。犬が逃げ出さないように、しっかり固定せよ」

北村はその指示には納得できた。犬係としても、そうするべきだと思った。だから犬たちの首輪の穴を、いつもより一つ縮め、きつく締めた。第二次越冬隊が来ることを、信じて疑わなかったからだ。

しかしこの流れでは、二次越冬隊が本当に成立するとは思えない。犬たちは、無人の基地に、身動きできない状態のまま放置されるのか。そんな残酷なことがあるか。

宗谷に収容してくれとは言わない。せめて首輪から、鎖から、解放してあげるだけでいいのだ。自由の身になれば、犬たちは好きなところに行くだろう。仮に〇・一パーセントであっても、少しでも長く生き延びるチャンスが生まれる。

しかし抜けることができなければ、そのまま死ぬしかない。鎖につながれ、空腹の苦痛にさいなまれ、身動きできないまま飢え死にする。そんな目に犬たちを遭わせるのか。

犬係の気持ちは、犬係にしかわからないのかもしれない。北村は、同じ犬係として苦労をともにした菊池の部屋を訪ねた。

「菊池さん、何とかなりませんか。二次先遣隊の三人と、彼らを迎えに行く飛行機の操縦スタッフに頼んで、犬たちの首輪を外してもらいましょう。もし二次越冬が中止になったら、あのままじゃ犬たちは死ぬだけです」

菊池の返答は、実に合理的で論理的だった。

「第二次越冬隊には犬が欠かせない。犬ゾリを使うからね。二次隊は中止になったわけではないし、僕は二次隊を見放していない。従って犬を解放することはできない」

その返答には反論の余地がない。菊池の考え方に破綻はなかった。理屈はそうなのだが、北村の気持ちは納得していない。しかし、現実を見れば、もはや自分にできることはなかった。

北村は昭和基地にいる三人に賭けた。

――どうか、宗谷に戻る前に、犬たちの首輪を外してやってくれ。

第二次越冬隊の先遣隊として昭和基地に入っていた守田ら三名に、宗谷への帰船指示が届いたのは一四日午前一〇時だった。

「どういうことだ。せっかくここまで下準備をしてきたのに」

「二次越冬は中止ってことか？」

「外にいる犬たちは、どうするんだろう」

混乱の中で、三名は永田隊長に上申した。

「基地には一次隊が残した食料があります。カラフト犬もまだ残されたままです。第二次越冬隊として昭和基地に再進入する計画があるのならば、われわれはこのまま、越冬準備を続けたい」

三人は、最悪の場合は自分たちだけで越冬する覚悟すら決めていた。しかし上申は、即座に却下された。

疑問と不安と不信だらけの三名を、同じ二次隊の森松秀雄（朝日新聞社）と岡本貞三（同）

が操縦する昭和号が迎えに来た。外に係留されているオス犬一五頭と、建物内にいるメス犬シロ子については、何の指示もなかった。新しい指示がないのであれば、オス犬たちは係留したままにするしかない。再び二次越冬隊が来るまでの間だが、犬たちは本当に大丈夫なのか。

シロ子の処遇もよくわからない。ただ、八頭の子犬のうち、まだ二頭は基地にいる。子犬だけは何としても宗谷に連れ帰るつもりだった。ところが子犬たちは母親シロ子のそばから離れようとしない。母親から引き離されるのが嫌なのだ。

「仕方がない、シロ子も連れて行こう」

「しかし、メス犬といっても相当体重がありますよ」

「昭和号の積載可能な重量をオーバーしてしまうかもなあ……」

積載重量を超えて飛行することはできない。そこに、昭和号から降りた森松がやってきた。

「どうしたんですか。急いで離陸しないと天候が思わしくない」

守田は事情を話した。それを聞いた森松は昭和号に戻り、機内にいた岡本としばらく話し合った。そして、昭和号の燃料コックを開き、航空燃料を捨てた。シロ子の体重に相当する燃料をあきらめたのだ。

「これしか、ないでしょう」

操縦席に座った森松は、後部座席に座った守田たちに笑みを見せた。

午後四時になった。昭和号のエンジンがかかる。ぎりぎりの積載量だが、何とか浮いてくれ。五名と母子犬三頭を乗せた昭和号は宗谷へと飛び立った。

この瞬間、昭和基地は再び無人と化した。

その意味を、係留されている一五頭のオス犬たちは本能的に察知したのだろうか。北村が離陸した時と同じように、一斉に立ち上がり、ウォーン、ウォーンと咆哮した。

守田はシロ子が暴れないように、しっかり抱いていた。昭和号が基地上空を一度旋回した。

「必ず戻ってくるからな。待っててくれ」

機上の全員が、眼下の犬たちに、そして自分たち自身にも言い聞かせていた。


先遣隊が宗谷に戻ってきた。北村は待ち構えていた。

基地に残されたままだった子犬二頭は、丸山たちが大事そうに抱きかかえている。

――よかった。これで子犬たちは安心だ。

ふと見ると、守田の横にシロ子がいる。

「子犬たちが母親と離れたがらないので、シロ子も一緒に連れてきました」

守田の笑顔が神様に見えた。

「ありがとうございます」

自然に感謝の言葉が出た。そして先遣隊の三人に聞いた。

「外に係留している一五頭はどうしました？」

「そちらは新たな指示がなかったので、そのままにしてきましたが……」

もちろん彼らに何の責任もない。きちんと指示を守って行動したのだ。しかしこれで、最後の望みが断ち切られた思いがした。

第二次越冬は断念が決まったわけではない。外海から昭和基地を目指す方針は放棄されてはいない。だから犬たちは置き去りにされてはいない。少しの間だけ基地に人間がいなくなるだけだ。北村はそう自分に言い聞かせた。

第二次越冬隊は、誰も望みを捨ててはいなかった。しかし日を追うごとに、その望みが叶う可能性は小さくなっていくように、北村には思えた。悪天候が回復しそうにない。北村には、外海からの越冬作戦など荒唐無稽な気すらしてきた。

越冬断念

第二次観測隊は、難しい決断を迫られていた。

現在の気象状況、損傷した宗谷の航行能力、清水の保有量、これらを考え合わせると、氷海域に留まっていられるのは二月二四日が限界とみられた。

いったん外海に出て、そこから二次越冬隊を送り込む。この計画の成功率を高めるために、第二次越冬隊の規模はさらに縮小され、隊員七名、運ぶ資材は一トンのみになった。これが成功すれば二次越冬が成立し、犬たちも助かる。

宗谷船内の誰もが、天候の回復を祈った。結局のところ、二次越冬の成否を決めるのは天候だった。しかし一九日は終日雪で視界不良。二〇日も同じだった。

二次隊も、手をこまぬいていたわけではなかった。外海にさえ出られれば、昭和号は車輪の代わりにフロートを装着して、海面から飛び立つことができる。しかし、それでは基地近くの雪原に着陸ができない。フロートがあるからだ。基地から離れた開水面に着水するしかない。そこから人力で資材を運ぶのは相当無理がある。

ならば着水した地点からヘリコプターで再輸送しよう。だが、輸送中に悪天候になったら、基地から宗谷に戻れなくなる恐れも出てくる。

「その時は、ヘリは基地に放棄すればいい。ヘリの乗員を昭和号に乗せて宗谷に戻そう」

現実味の薄い、無理な作戦だった。それでも、やれる可能性があることをギリギリまで必死になって検討した。

二三日。第二次越冬を決行するのであれば、明日が期限だ。宗谷船内で、基地に赴く予定の越冬隊員たちを励ます壮行会が開かれた。どの顔も緊張している。笑顔なき壮行会。外を見れば、風速一二メートルの強風で波がかなり高い。第二次隊は追い詰められた。

二四日の朝が来た。気象状況は好転していなかった。宗谷の周囲は、無情の強風が吹き荒れていた。これでは昭和号は飛び立てない。絶望の風が、南極の黒い海を波立たせ、隊員の心も波立たせた。

午後二時。緊急招集がかかった。これから宗谷の食堂で、最終決定が告げられる。全隊員と一部の船員を前に、永田隊長が告げた。

「日本の統合推進本部より、第二次越冬の断念と昭和基地の放棄命令が出た。第二次越冬観測計画は断念せざるを得ない」

悪天候がずっと続いていた。宗谷は傷つき、行動には限界があった。全員が知恵を絞り、さまざまなアイデアを検討した。やるべきことは、すべてやった。その結果が、第二次越冬の中止だ。納得している隊員は一人もいない。ただ黙って下を向いている。

北村は、やり場のない怒りに、顔を紅潮させていた。とうとう、こうなってしまった！　なんてことだ！

北村は食堂を抜け出し、自分の船室に戻ると、壁にもたれ、力なくうずくまった。目の前にある、自分の両手を見つめる。その手は、犬たちの首輪をきつく締めた。犬たちの生きる可能性を奪った手だ。

ポチ、クロ、ジャック、アカ、ペス、タロ、ジロ、モク、デリー、アンコ、ゴロ、リキ、シロ、風連のクマ、紋別のクマ……。

あいつらは、人間たちが戻ってくると信じている。腹が減って、早く餌を持ってきてくれと思っているはずだ。しかし、もう誰も犬たちを助けには来ない。

——俺が、この手で殺したようなものだ。

一九五八年二月二四日午後。第二次越冬計画を放棄した南極観測隊を乗せ、宗谷は北航を始めた。南極大陸に一五頭のカラフト犬を置き去りにしたまま——。

バッシングの嵐の中

一次越冬隊が帰国した後の、国民のバッシングはすさまじかった。

「よくもまあ、おめおめと帰って来れたもんだ」

「日本人の恥」

実は、第二次越冬を断行するかどうかの難しい決断を迫られているさなかにも、宗谷の元には、日本からの抗議の電報が届いていた。

二次越冬が怪しくなりつつあった頃から、新聞には「カラフト犬を救って」「ソリ犬一五頭は見殺しか」といったトーンの見出しが躍り、ラジオも連日のように「可哀そうなカラフト犬を何とかしてあげて」といった趣旨の番組を流していたからだ。

新聞もラジオも、日本人初の南極越冬成功という評価は小さく、犬の置き去りをクローズアップした。

南極地域観測統合推進本部にも、全国から電報や手紙が殺到した。それまで南極観測は、戦後日本の復興を世界に示す国家プロジェクトという期待が大きく、多くの国民が支持していた。本部にはさまざまな差し入れや寄付、激励の手紙が届いていた。順風満帆だったのだ。それが一転して、批判の嵐となった。

隊員たちに弁明は許されず、じっと耐えるしかなかった。西堀隊長の自宅は、警察が警護する騒ぎになった。

まだ動物愛護という考え方が十分には浸透していなかった時代だったにもかかわらず、南極に一五頭のカラフト犬を見捨ててきた事件は、国民に衝撃と深い悲しみをもたらしたのだった。

北村は京都の実家で悶々とした日を過ごしていた。

こうしている間にも、力尽きてしまった犬たちは、南極の雪の下にどんどん埋もれているだろう。自分は、犬たちが逃げられないように首輪をきつく締めた。その責任をどう取るべきなのか。元の飼い主を回って土下座するのか。いや、そんなことで許してもらおうなどと考えるのは間違っている。何をしても苦しみから逃れられず、布団の中でも眠れず、悩みぬいた末に、北村は一つの結論に行きついた。

南極に置き去りにされた犬たちは、どんな最期を遂げたのか。その姿を自分の目で直視しよう。一五頭をこの手で掘り出し、どんなに無残な姿になっていようと、きちんと心から葬ってやろう。犬たちを殺したこの自分の手で、今度は犬たちの遺体を抱きしめよう。自分が犯した過ちにしっかり向き合うのだ。それこそが、一次越冬隊の犬係がやらなければならない贖罪なのではないか。

それを実現する方法は一つしかない。北村は、誰もが驚く行動に出た。

再び、南極へ

一九五九年一月。北村は第三次南極観測隊の越冬隊員として、南極に向かっていた。南極観測船宗谷の甲板に立つ北村の眼前には、一年前と同じ真っ白な大陸が広がっている。しかし、高揚感が湧き上がった一次越冬時とは違い、今の北村の気持ちは複雑だった。南極を拠点とした地球物理に関する観測調査。とりわけ宇宙線に関する調査が、今回の北村の研究テーマである。

正直なところ、それは第三次越冬を志願した本当の理由ではない。北村の心の中は、冷たい氷雪の下で死んでいるカラフト犬たちのことでいっぱいだった。氷雪の下にいる犬たちを一日でも早く掘り出してあげたい。手厚く葬ってあげたい。その一心で、第三次南極越冬隊に志願したのだ。

しかし、志願理由が「犬の弔い」では、隊員選考に受かるわけがない。申請理由の記載内容に嘘偽りはないが、犬のことは書かなかった。国費を投下する国家事業なのだ。科学技術の発展のために、課された役割を果たさなければならない。

志願するにあたって、北村はかつて西堀第一次越冬隊長が言っていた言葉を思い返していた。

「自分がやらなきゃいけないと思った時は、それがどんな非難を浴びようと、やる。それが探検だ。南極探検も同じなんだ」

その言葉を、今北村は実践しようとしていた。確かに本当の理由を隠していることには後ろめたさがある。しかし自分としてはどうしてもやらなければならない。それを批判されるなら、甘んじて受ける。たとえ学者生命が終わりになっても仕方がない。

選考に関わった人々が、北村の志願理由をどう評価したのかはわからなかったが、ともかく北村はパスした。


宗谷の汽笛が鳴った。氷山が見え、やがて海がなくなり白い新氷が眼前に広がりだした。接岸が近い。気温も急速に下がってきた。

北村は防寒具の前を閉じながら、研究のことを考えた。

与えられた地球物理に関する研究は、もちろん人並み以上に頑張る。今回の越冬でこの分野を担当するのは三人。北村と、中村純二（東大）、小口高（東大）だ。中村は一年前、第二次越冬隊の先遣隊として一度は昭和基地に入った男だ。しかし、その後撤退命令が出て、泣く泣く越冬をあきらめた苦い経験をしていた。

中村と小口にとっては、もちろん初めての南極での地球物理調査だ。北村には一年間のキャリアがある。どうすれば好条件で調査ができるか。やってはならないことは何か。そうした知見は、南極で経験しなければ得られない。自分が知りえたものを彼らにすべて伝え、全員で研究の成果を挙げてみせる。犬のことは、それからだ。自由時間を使って一五頭の犬たちの遺体を掘り出し、葬ってあげたい。

第三次南極観測隊には、一体の阿弥陀如来（あみだにょらい）像が託されていた。「樺太（からふと）犬を見守る会」はじめ、全国の愛犬家が寄付を募り、浄財で作られたものだ。東京芸術大学の山本豊市教授の手になるもので、高さ二一センチ。奈良・薬師寺の阿弥陀如来がモデルとなっている。内部は空洞になっており、南極の寒さにも耐えられるように、厚みは通常の二倍の六ミリもある。像の背面には「カラフト犬の御霊安かれ」と刻まれている。

如来像の胎内には、犬たちが訓練を受けた北海道稚内（わっかない）市の樺太犬訓練所の土と、カラフト犬集めに全面協力した北海道大学の付属博物館周辺の土が納められた。

胎内に土を封入したのは、北海道大学農学部の犬飼哲夫教授。ゆかりの土を像に入れる際に「どの子たちも、いい犬ばかりでした」と漏らし、しっかりと封印した。

犬飼教授は日本でカラフト犬に最も詳しい学者だった。犬ゾリ用のカラフト犬をどうやって探し、集め、訓練すればいいのか。もし西堀が北大を訪ね、犬飼教授と出会うことがなかったら、南極にカラフト犬を帯同させて犬ゾリで科学探査するというプロジェクトは困難だっただろう。犬飼教授は、南極カラフト犬ゾリ隊の、生みの親といってもよい人物だった。

この犬飼教授について、北村はずっと気になっていたことがある。一次越冬隊撤収時に置き去りにされた一五頭のカラフト犬の生死については、絶望視する声がほとんどといってよかった。常識的に考えて、食べ物がなく、身動きができず、南極で一年間も生きていられるわけがない。ところが、犬飼教授だけは「何頭かは生きている可能性がある」と予言したのだ。

北村は超高層地球物理学者であり、犬の生態には詳しくない。だが、犬をはじめ応用動物学の権威である犬飼教授については、稚内市で犬ゾリの訓練を始めた頃からいくつかの文献も精読し、カラフト犬に関する知見、造詣の深さに、科学者の卵として心服していた。だから、北海道の地元紙や全国紙に掲載された教授の予言は何度も読み返した。

その内容は、主に三点からなっていた。

①カラフト犬は粗食に耐え、また一度食べるとエネルギーを体内に蓄積する能力が高い。一度十分な量を摂取すれば、ある程度長期間、何も食べなくても生きていける。

②ある程度の期間、食べるものがない場合、当然どんどん痩せていく。首回りも細くなれば、結果的に首輪が緩む形になる。そうすれば首輪を抜けて脱出することは可能。
③しかし肉体的に強くなければ、そこに至るまで耐えられない。高齢の犬ほど可能性は小さくなる。逆に、二歳、三歳の若い犬にはその可能性がある。

この予言には、当然ながら科学者や科学評論家から「あり得ない」「非科学的すぎる」と、激しい反論がぶつけられた。全滅か、一部生存か。国民の関心が大きかったことから、この犬飼博士の予言はいろいろな場面で取り上げられた。

北村には、どちらが正しいのかの判断はつかない。ただ北海道の有力紙に掲載された犬飼教授の紹介記事などを読んでみると、犬飼教授の生存説は、願望や思いつきなどではなく、カラフト犬研究の第一人者としての研究成果に基づく確信なのだということは理解できた。

「ひょっとしたら、一頭ぐらい生きているかもしれない」

そんな希望を持つ時もあった。生きていてほしいという気持ちが、夢にも現れた。二頭のカラフト犬が雪面を駆けていく、そんな夢だ。知人に話すと、同情されるか、笑われるか、たしなめられるのが、おちだった。

北村自身、現実に戻ると「やはり、そんなことはあり得ないだろう」と思う。希望的観測と現実のはざまで、北村の心は揺れた。

「犬が生きている！」

一月一四日。宗谷が接岸した。昭和基地まで約一四〇キロ地点。数日前から、接岸後の揚陸準備のため、船員も観測隊員も総動員で船内での荷造り作業にかかっていた。作業は夜を徹して続けられた。

地球物理学者だろうが、電波学者だろうが、越冬が始まるまでは、すべての隊員は資材の荷造り係、運搬係だ。人手が絶対的に足りないのだから、当然そうなる。若い北村は観測隊にとって重要な労働力だった。また、北村自身も唯一の連続越冬隊員として、人一倍頑張らないといけないという気持ちで体を動かした。睡眠不足に陥っていた。

一四日も疲れ切っていた。昭和基地を目指すヘリコプターの一番機を見送ると、「ほんの少しだけ」と断って、自室で休んだ。たちまち眠ってしまった。

その頃、宗谷から真っ先に飛び立ったヘリは、数名の隊員を乗せ、昭和基地目指して順調に飛行を続けていた。やがてオングル島が見えてくる。上空から見る限り、基地は無事なようだ。もっとも、着陸して建物の内部を見なければ、何とも言えない。

その時だった。基地からやや離れた地点に、小さな黒い点が二つ。搭乗していた隊員たちは驚いた。

「なんだろう」

「アザラシじゃないのか」

「いや、走っている。速い。アザラシやペンギンじゃないぞ」

「犬だ。犬。間違いない。二頭だ」

「宗谷に連絡だ！」


ドアの向こうの通路がうるさい。誰もかれもが、走り回っている。何かあったのだろうか。

北村は体を起こし、ドアを開けた。通路を誰かが叫びながら走り抜けていった。

「犬が見つかったぞ。生きているぞ」

いっぺんに目が覚めた。通信室に飛び込むと、中は騒然としていた。

「北村さん、犬が生きていたよ」

「しかも二頭らしい」

――二頭も？　信じられない。

ヘリからは次々に情報が入ってくる。しかし、肝心なことがわからない。生きていたのは、いったいどの犬なのか？

「ヘリの搭乗者は、クマとゴロではないかと言っていた」

誰かが教えてくれた。

待て。クマって、風連のクマと紋別のクマがいるんだぞ。どっちなんだ。

やがて、連絡して来たヘリが宗谷に戻ってきた。

「クマとモクかもしれません」

ヘリ搭乗員が自信なさげに言う。

だから、クマは二頭いるんだ。どっちのクマだ。ゴロとモクについては外見がよく似ているから、区別がつかないかもしれない。

冷静になって考えたら、そんな細かなことを知っているのは北村だけだ。北村以外に識別できる隊員がいるわけがなかった。

「二頭とも元気そうなんですが、激しい敵意を示しています。恐ろしくて誰も近づけません。個体確認は難しいです」

ヘリ搭乗員の報告に、周りにいた全員が、北村を見た。

——もちろん、そうだ。俺が行かなければ、犬を見分けるのは無理だ。

タロとジロ、奇跡の生存

北村はヘリコプターに搭乗した。ローターが高速回転し、ヘリは徐々に上昇する。オレンジ色の宗谷が小さくなっていく。昭和基地まで約一四〇キロ。ヘリは一気に南下を始めた。

懐かしい風景が見えてきた。最後の犬ゾリ探査をしたプリンス・オラフ海岸。タロたちが肉球をガラス片のような蒼氷に切り裂かれ、血だらけになって走破した地域だ。オメガ岬、タマ岬、フラットゥンガを過ぎればオングル海峡が見えてくる。

ヘリが降下を始めた。昭和基地だ。着陸すると、北村は周りにいた隊員に叫んだ。

「犬は、どこですか」

聞かれた隊員が指さす先に、確かに二つの黒い物体が見える。こいつらか。約一〇〇メートル先だ。

「おーい」

北村は叫びながら駆け寄った。すると二つの物体は後方に下がった。ここまでくれば、それはカラフト犬とわかる。だが、どの犬なのかは、北村にもわからなかった。

――こんな犬、いたか？　なぜ寄ってこない？

遠目に見る限り、それは北村が知っている一五頭の犬には見えなかった。

――ひょっとしたら、外国の基地から逃げ出してきた犬なんじゃないか。

一瞬そう思ったが、そんなわけはなかった。昭和基地から一番近い外国の基地でも直線距離で一〇〇〇キロ前後あるのだ。それは不可能な距離だった。

発見したヘリコプターの搭乗員からの最初の情報は「クマとゴロらしい」だった。クマであれば、風連のクマか紋別のクマしかいない。しかし今、目の前にいる猛々しいカラフト犬のどちらかは、ひょっとしたら比布のクマではないか、と思った。カエル島探査からの帰り、ただ一頭で南極大陸の向こうに消えた犬だ。ひょっとして、生きていたのか？

だが、そうだとしても、もう一頭は？　比布のクマと仲良くできる犬などいないはずだ。

北村は、頭の整理がつかないまま、二頭に近づいた。二頭の外見は、南極に来る前に北村が想像していたのとは、全然違っていた。仮に生きていたとしても、ろくな食べ物はないのだから、痩せこけているだろう。そう思っていた。

しかし、今目の前にいるのは、カラフト犬というより、丸々と太った子熊のようだった。

北村は、黒色ないし黒に近い色の体毛を持つ犬を思い出して、声をかけた。念のため、比布のクマからにしよう。一次隊の頃は、ヒップと呼んでいた。

「お前、ヒップなのか？」

北村が発した最初の声に、二頭が同時に唸り声を上げた。恐ろしい。しかし、勇気を出して、もう一歩近づく。ここまで接近して観察すると、体毛は黒色で同じだが、すべての犬の中で一番どう猛で、特徴的な面構えだった比布のクマではないと判断できた。

もう少し、顔や、目の色や、胸のあたりの体毛を確認したい。そう思って一歩近づこうとしたが、そこから先はなかなか進めない。二頭は頭を低くし、唸り声をあげ、上目遣いでこちらを睨む。

北村は焦らないことにした。どの犬であるにせよ、突然人間に置き去りにされ、必死に一年間生きてきたのだ。恨むのも、警戒するのも当然だった。少しずつ、信頼関係を取り戻さなくてはならない。

「ゴロなのか？」

反応はない。むしろ、唸り声が大きくなる。北村は、無理に笑顔を作って言った。

「モクかい？」

二頭とも、さらに一歩下がる。

風連のクマ、紋別のクマ、クロ……。体毛が黒い犬は全部呼んでみた。しかし、二頭は「グルルル」と警戒心を解かず、近づこうともしない。

あとは……タロとジロか。目の前の二頭は、タロ、ジロとは体格も体型もまったく違う。しかし、黒い色の犬で残っているのは、もう他にいない。

北村は、小さい声で呼んでみた。

「タロ？」

恐ろしい形相だった一頭の目が、ふっと穏やかになったように見えた。ずっと下げっぱなしだった尻尾が、心なしか上を向く。首を下げた態勢は崩していないが、この犬の心に、何かが起こったのだ。

「タロ！　タロ！」

今度は大きな声で叫んだ。すると、犬は激しく尻尾を振った。命令もしないのに、自分からお座りをしようとする。こうなれば、間違いない。もう一頭に声をかけた。

「ジロ！」

すると、右の前足をかすかに上げた。甘えたいときのジロの癖だった。間違いなくジロだった。

「タロ！　ジロ！」

北村は雪面に膝をつき、大きく手を広げた。タロとジロが猛烈な勢いで突進してきた。北村にぶつかる。思い出したのだ！

タロが、一年前とは比較にならないほど大きくなった体を擦りつけてきた。ジロが前足を上げて、じゃれかかる。その足の力が強い。痛く感じるほどだ。驚くほどたくましくなっている。

「お前たち、よく……」

もう、言葉が出なかった。北村はタロとジロの首を抱え、思い切り抱きしめた。タロもジロも、北村の顔をべろべろなめた。

「もう、やめろよ」

笑いながら北村がそう言っても、二頭はいつまでも北村をなめ続けた。二頭の力に押され、北村は雪面にあおむけに転んだ。タロとジロが、上から心配そうにのぞき込んでいる。

タロとジロ。体は大きくなったが、その顔立ちは、この距離から見れば変わっていない。タロとジロの上には、どこまでも広がる紺碧の空。北村は、人生一番の幸福感に酔った。

遺体探し

南極に一年間放置されていたカラフト犬二頭が、生きていた――衝撃的な一報は、日本だけでなく、世界中を駆け巡った。誰もが信じられなかった。全国の新聞が一面トップで伝え、世界の主要紙もこぞって記事と写真を掲載した。ラジオは連日、奇跡の生還ニュースを流した。

タロとジロの生存は、北村にとっても望外だった。しかしいつまでも喜びに浸っているわけにはいかない。残置されたカラフト犬は一五頭。早く他の一三頭を見つけ出してやらなければ。

二月一日、第三次越冬の実施が正式に決まった。北村には宇宙線調査という地球物理学者としての任務がある。当然ながら、こちらが優先される。犬探しは自由時間に一人でやるしかない。

昭和基地周辺は三六〇度氷雪が広がっている。一年間の降雪、そして凍結。だが北村にはある程度の目算があった。

犬たちは、係留地から逃れることはできなかっただろう。そこを掘ればきっと見つかる。北村は、一次越冬時に犬たちを係留した場所を覚えていた。ただ、どの犬を、どの位置につないだかまでは記憶がない。約一〇〇メートルのワイヤーロープ。その両端を支柱やドラム缶につなぎ、固定した。そこが係留地だ。ワイヤーロープに一五本の鎖を結びつけ、一五頭の犬たちを数メートル間隔で数珠つなぎにした。だが目安になる支柱もドラム缶も見当たらない。倒れたのか、丸ごと雪に埋まったのだろうか。

――このあたりだったはずだが。

北村は見当をつけ、スコップで氷雪を掘り始めた。

――見つかるのは、首輪だけであってほしい。

犬が首輪を抜け、鎖の拘束から逃れたことになるからだ。たとえ〇・一パーセントであっても、どこかで生きている可能性がある。祈るような気持ちで氷雪にスコップを突き刺す。

ザクッ、ザクッ、ザクッ。

氷雪は思った以上に硬かった。数十センチ掘って見つからなければ、近くを掘ってみる。いくつもの穴を掘っていく。

――おかしい。いない。

掘っても掘っても、犬の遺体も、首輪も見つからない。雪穴だけが空しく増えていった。

――なぜ見つからない?

北村は混乱した。とうとう雪面に座り込んだ。

記憶を探る。一年前の二月一一日。あの日、自分は間違いなくここの係留地に犬たちをつないだ。その時、永田武第二次観測隊長の指示に従って、犬たちの首輪をいつもより一穴分、強く締めた。後悔してもしきれない。その場所を間違えるはずはなかった。遺体、あるいは首輪があるとすれば、この一帯のはずなのだ。

待てよ。あの日、自分は一番機に乗って宗谷に向かった。前日に三名の一次越冬隊員が宗谷に帰船していたが、まだ自分を除いても七名は基地に残っていた。誰かが、何か理由があって犬たちを移動させたのかもしれない。しかし、もし移動させたのなら、犬係の自分か菊池に報告するだろう。

一次越冬隊が帰船した翌一二日には、二次越冬隊の先遣隊三人が無人の昭和基地に入った。一四日になって永田隊長が三人に帰船命令を出したが、その際に「二次越冬に犬は必要だから、必ず鎖につないで戻れ」という指示を受けていたはずだ。ひょっとしたら、その作業の際に何かあったのかもしれない。

不安になった犬たちが暴れてワイヤーロープが支柱から外れ、犬たちが勝手に移動してしまったとか。あるいは、犬たちを違う場所に移動させなければならない理由が生じたとか。いろいろな想像が頭の中を駆け巡るが、今となってはわからない。これは想定していない事態だった。

――南極に向かう前に、一次、二次のメンバーに確認しておけばよかった。

悔やんでも、後の祭りだ。数日の穴掘り作業でわかったことは、一年前に自分が係留した場所に、犬たちはいなかったということだ。ほんの少しずれているだけだとしても、一面雪の下に埋もれている犬を探し出すとなると、範囲が広すぎる。困った。ここを全部掘り起こすことは不可能だ。

それぞれの自由時間に雪穴掘りを手伝ってくれる隊員もいた。村山雅美第三次越冬隊長も黙認してくれた。にもかかわらず、一週間たっても、遺体も首輪も見つからなかった。北村は徐々に焦り始めた。

打ち砕かれた願い

二月も終わりかけの二六日だった。スコップの先にかすかな手応えがあった。氷雪の感触とは違う。何か硬いもの。

——ここだ。

もし、犬の遺体なら、大きなスコップで体を傷つけるのはかわいそうだ。小さなスコップに持ち替え、幼稚園児が砂場で遊ぶような姿勢で、慎重に掘り進める。氷雪の中から、黒ずんだ物がのぞいた。革製の何か。

「見つけたぞ！」

北村は思わず叫んだ。それは、犬の首輪以外にあり得なかった。周りにいた隊員が駆け寄る。

「どの犬だ」

「わからない」

少しずつ、丁寧に周りの雪を削っていく。確かに首輪だ。赤い板切れの名札が見えた。北村は、名札にこびりついた雪を手でこすって取り除いた。

《風連のクマ》

北村は、首輪と名札を氷雪の穴から引きずり出し、両手で握りしめた。

「よかった……」

犬ゾリ隊で一番の暴れん坊は力が強く、越冬中に何度も首輪抜けした。遺体は、なかった。なんとか逃げ出すことができたのだ。北海道上川郡風連町から来た、野性味あふれる風連のクマ。彼なら、どこかで生きているかもしれない。

その夜、北村は風連のクマの首輪と名札を胸に抱いて、眠りに落ちた。風連のクマの首輪が見つかったということは、その周辺に他の犬たちの首輪もあるはずだ。あるいは遺体が。

首輪を発見した穴を中心点にして、円形に周囲を掘れば、見つかる可能性がある。その方針で穴を掘り続け、ようやく同じ感触に突き当たったのは三月二日。意外にも、風連のクマの首輪発見場所のすぐ近くだった。風連のクマの時と同じように、小さなスコップに持ち替えて、丁寧に掘り進めた。

ジャックだった。首輪と名札が見つかった。彼も逃げ出せたのだ。

連続して首輪と名札だけが見つかった。北村の心に、かすかな希望が芽生えた。

——ひょっとしたら、犬たちはすべて逃げ出したのかも。

——遠く離れた場所で、群れを作って生きているかもしれない。

そんな願いが打ち砕かれたのは、翌三日だった。

北村は穴掘り作業で疲れ切ってしまい、雪面に腰を下ろして、ぼんやりしていた。

視線の先には、アザラシ解体用の手作り装置がある。一次越冬中に作ったものだ。三本の鉄柱を三角錐の形に組み、頂点に滑車をかませ、捕獲したアザラシを鎖とフックで吊るす。こうすると、アザラシを解体しやすくなる。

装置には、一次隊が撤収する際、そのままにしておいたアザラシの肉片が、頭部から中央付近まで、干からびた状態で吊り下がっていた。

一次越冬準備中に、犬の食料の一部が海へ流される事件があった。犬の食料不足を補うために、やむを得ずアザラシを捕獲し、生肉を犬に与えた。人間には臭くてたまらないアザラシの肉を、犬たちは思いのほか喜んで食べた。考えれば、犬にとっては合成飼料よりも生肉がうまいに決まっている。

——あいつら、よくあんな臭い肉を食べたなあ。

そんな思いに浸りながら、なんとなくアザラシ解体装置の近くに目をやった。雪面に何か、黒いものがある。

「ん？」

近づくと、犬の毛のように見えた。犬の毛？　しかし、こんな場所に犬を係留した覚えはない。二頭の首輪の発見場所とも、かなり離れている。半信半疑で掘ってみた。

すぐに、固く凍りついた犬の遺体が見えてきた。黒い背中だ。雪面に少しのぞいていたのは、やはり犬の黒い体毛だったのだ。覚悟はしていたが、やはり遺体を目の前にすると、北村の気持ちは沈んだ。

最初に発見された遺体は、ゴロだった。

ゴロが最後に食べた物

――ゴロ。なぜ、こんなところにいたんだ。

この付近は、第三次越冬で頻繁に人が行き来する場所だったため、通行しやすいように雪をある程度除去した。本来は深く埋もれていたのだが、除雪されたためにゴロの体毛が雪面上にわずかにのぞいたのだ。

それはわかる。問題は、ここが、今まで見つかった首輪の発見場所と全然違う位置だということだった。ゴロは鎖につながれたままだった。その鎖を思い切り引っ張ってみたがびくともしない。

——この鎖の先には何かある。

そう直感した北村は、鎖を掘り出し始めた。鎖の先には小型ソリが埋まっていた。鎖は小型ソリにしっかり繋がれていた。一年前、すべての犬たちは、一本のワイヤーロープに一定間隔でつないだはずだ。どうしてゴロの鎖が小型ソリにつながれている？


三次隊の武藤晃医師（京成電鉄病院）がゴロの解剖を開始した。置き去りにされた犬の死因を特定する。遺体状況を詳細に調べる。それは、今後も各国の基地で活躍する犬たちの健康管理につながる重要な獣医学データになる。可哀そうだが必要な措置だった。

メスを入れる。皮下脂肪、内臓脂肪が完全に失われていた。内臓の確認。いずれも激しく消耗した形跡がある。実質細胞が著しく失われている。大きな臓器である肝臓が、ぺらぺらの紙のように薄くなっていた。胃の切開に入る。細くなったゴロの胃。内部を調べる。

「これは何だ」

武藤医師が、ゴロの胃袋から何かを見つけた。鉗子で引きずり出した。緑色の紙のようなもの。縦二〇センチ、横一五センチ。

「北村さん、これは何ですかね」

見せられた北村も首をひねった。ビニール片のようだ。テントの生地かと思ったが、違う。

ゴロが見つかった周囲にテントなどはなかったはずだ。人工物であることは間違いない。昭和基地のどこかにあったものだ。風に運ばれ、偶然、餓死寸前のゴロの前に吹き流されてきたのだろうか。

北村は想像する。誰かが、何らかの理由があって、ゴロだけ小型ソリにつないだ。たとえば、ゴロをつないでいた鎖が切れてしまい、基地をうろつくゴロを、たまたまそばにあった小型ソリに一時的につなぎとめたとか。おとなしいゴロなら犬係でなくてもその作業はできただろう。だが、そのままの状態が続き、やがて昭和基地が無人となった。

他の犬と同様に、ゴロは首輪を抜けようとしただろう。鎖を引っ張る。鎖は小型ソリにつながれている。ゴロはがっちりした体形で力が強く、一番頑張ってソリを曳いた犬の一頭だ。ゴロの力なら、雪面上にある小型ソリは動くだろう。

ゴロの目には、解体装置に吊るされたアザラシが見える。空腹の苦痛。目の前のご馳走。ゴロは必死に小型ソリを引きずったに違いない。アザラシに少しずつ近づき、口を開け、肉に食らいつく。それは生きるものの本能だ。最初は、たらふく食べられただろう。低い位置の肉を食い尽くせば、体を少し上に起こす。そうしなければ、肉に届かない。必死に体を起こしたはずだ。そして、届く位置にある肉は食べつくす。やがて残酷な状況になる。

もう、いくら体を起こしても、ジャンプしても、舌先を伸ばしても、目の前の肉には届かない。首輪、鎖、小型ソリ。それらが背後から邪魔をする。ゴロが上に伸びようとしても、背後から引っ張られ、首輪が首に食い込むだけだ。

目の前には、ご馳走がぶら下がっている。後ろ足で立ったままのゴロは、それを食べることができない。初めから何もないのなら、まだあきらめもつく。だが目の前にうまい肉があるのだ。ゴロは半狂乱になっただろう。地獄のような空腹にさいなまれ、判断力をなくし、肉ではない、近くにあったものに食らいついた。飲み込んだ。そして死んだ。

ゴロが最後に口にしたものは、目の前にある大好物のアザラシの肉ではなく、正体不明のビニール片だった。

一次越冬中の体重測定では、ゴロは一番重い時で四三・五キロあった。ソリ犬の中でも最も体重があった。解剖時の体重は二二キロ。半分に減っていた。最終的な剖検所見により、ゴロは完全餓死とされた。北海道稚内市から来た、犬ゾリ隊一番の大食いは、飢え死にしていた。

ロシアン・ルーレット

ゴロは、係留ロープではなく小型ソリにつながれていた。これは例外とみるべきだろう。他の犬は係留ロープにつながれたままと考えるのが妥当だ。

これまでに見つかった風連のクマとジャックの首輪の位置情報は重要だった。二地点を結ぶと、一直線の、目に見えないルートが浮かんでくる。風連のクマからジャックの方向に進むか。それとも逆に進むか。二つに一つ。北村はジャックの方向に進むことにした。もし、どこまで行っても見つからなかったら、その逆を試みよう。

北村は掘り始めた。遺体であってほしくない。首輪であってほしい。遺体か、首輪か。それは、非情のロシアン・ルーレットだった。

ジャックの首輪のすぐ近くを掘っていた時、北村は妙なことに気がついた。何も見つからないのだが、氷雪に何か白く長いものがたくさんこびりついている。

――これは？

北村はスコップを放り出し、手に取ってみた。白く長いものは、犬の体毛だった。氷雪と同じ白色なので掘っている時はわからなかったが、間違いなく犬の白い体毛だ。残置した一五頭のカラフト犬の中で、真っ白な体毛を持つのはシロ以外にいない。ここにはシロがいたのだ。もう一度穴を調べてみたが、首輪と名札は見当たらない。鎖も確認できない。周辺をもっと掘り広げたら見つかるのかもしれないが、それより他の犬を探そう。シロは無事に脱出できた。それがわかればひと安心だ。

ここにきて、北村は、少し引っかかるものがあった。

係留する時、北村は四、五メートルの間隔を取って犬をつないだ。あまり近いと喧嘩が始まることがあるからだ。それなのに、風連のクマとジャックの首輪、シロの体毛が見つかった場所は、非常に近かった。

――なぜだろう？

その後も、ある程度の見当をつけては氷雪を掘り続けた。やがて嫌な手応えがあった。首輪とは明らかに違った。ジャックの首輪発見位置から一五メートルほど離れた場所だった。北村はゆっくり掘り進めた。徐々に姿が見えてくる。黒色の長毛が凍結している。丁寧に周囲の雪を取り除く。背中、脇腹、頭部、そして顔……。

モクの遺体だった。

ゴロもそうだったが、遺体はまったく傷んでいない。首輪から抜けられず、名札も鎖もついたままだ。まるで冷凍したように、生きていた頃と同じ表情だった。それだけが救いだった。タロ、ジロが見つかった時、一時は「一頭はモクではないか」という説もあった。だが、違っていた。ここで、冷たくなっていたのだ。三日の捜索は、これまでだった。

四日。モクの遺体発見現場のすぐそばで、ペスの遺体が見つかった。

モクは伏せの姿勢で見つかったが、ペスは体を横たえ目を閉じていた。おとなしい犬で暴れることがなかったので、越冬中から首輪抜けは得意ではなかった。首輪と名札は回収したが、鎖は周囲の凍結がひどく、回収はあきらめた。それより、他の犬探しが先だ。

しかし、そこからは難航した。モクのそばでペスが見つかったので、近くを掘ってみたが見つからない。五メートル、一〇メートル……またしても一五メートルほど先で、ポチの遺体が見つかった。

首輪は鎖につながっていたが、なぜか名札はなかった。暴れているうちに近くにちぎれ飛んだのだろう。ポチはパワーがある分、大食漢で、よく隣の犬の分まで食べようとしていた。あんなに力持ちだったのに、逃げられなかったか……。

それからしばらくは手ごたえがなかったが、さらに一五メートルほど先で、紋別のクマの遺体が見つかった。

クマと名の付くカラフト犬は三頭いた。どれもどう猛。逆に言えば、野生の本能を頑強な体に秘めた本物のカラフト犬だった。喧嘩で生傷が絶えなかったが、犬ゾリが難関にぶち当たり、他の犬がへばったときこそ真価を発揮した。

——お前は、鎖なんか真っ先に引きちぎって逃げたと思っていたが……。

ここまでに、逃走三頭、死亡五頭が確認された。残るは五頭。

不自然な「法則性」

翌日から、捜索がまたも行き詰まった。どこを掘っても、何も見つからない。こういうときは、落ち着くことだ。北村はこれまでの発見状況を整理してみた。

風連のクマの首輪、ジャックの首輪、シロの体毛は、近接して発見された。モクとペスの遺体は隣り合うようにして見つかった。しかし、シロの体毛とモクの遺体の間、ペスとポチの遺体の間、ポチと紋別のクマの遺体の間は、逆に約一五メートルも離れている。

犬たちは一定間隔で係留したから、遺体はほぼ等間隔に埋まっている。当初はそう推測していた。だが遺体や首輪を発見した場所を検証すると、少しも等間隔ではない。不自然に近いか、あるいは逆に不自然に遠い。小型ゾリにつながれていたゴロは例外として、そこには何か法則性のようなものを感じる。このばらつきには、きっと何か意味があるはずだ。

紙に、発見時の状況図を書いてみた。風連のクマから始まって、ジャック、ゴロ、シロ、モク、ペス、ポチ、紋別のクマ……。その時、ひらめいた。

――もしかして、群れを作ろうとしたんじゃないだろうか。

自分で描いた発掘の状況図をにらむ。自力移動のゴロは除外するとして、風連のクマの首輪、ジャックの首輪、シロの体毛。これらが近くで見つかったのは、ジャックに風連のクマとシロがくっつこうとしたのではないか？　つまり、三頭のミニグループを作ろうとしたのだ。

仮に、三頭がそう動いたとしたら、他の犬はどう動くだろうか。

シロの体毛と、モクの遺体の間の一五メートルの空白地帯。

ペスの遺体と、ポチの遺体の間の一五メートルの空白地帯。

ポチの遺体と、紋別のクマの遺体の間の一五メートルの空白地帯。

残りの犬が見つかるとしたら、この一帯が怪しい。

北村は考える。鎖につながれ、人間に見捨てられたカラフト犬たち。おそらく経験したことがない不安を感じただろう。追い詰められた状況で、犬たちは恐怖にかられ、本能的に身を寄せ合おうとしたのではないか。

もちろん鎖でつながれているから、完全にくっつくことはできないが、近づくことはできる。彼らは、小さな群れを作ろうとしたのだ。そういう視点で状況図を見ると、一見ばらばらのように見える発見地点に、法則性が見えてきた。

シロの体毛とモクの遺体の間。ペスとポチの遺体の間。ポチと紋別のクマの遺体の間。そこに、まだ見つかっていない犬の遺体か、首輪が埋まっているに違いない。

三月一六日。北村はまず、シロの体毛とモクの遺体の空白地帯を掘ってみた。

そこには、シロと同様に、大量の体毛だけがあった。首輪も名札もない。何らかの弾みで首輪から鎖が外れたのか。鎖を引きちぎったのか。ひょっとしたら首輪も名札も近くにあるのかもしれないが、それを探す時間がもったいない。少なくとも、もう一頭逃げられたことは確認できた。体毛は茶色。茶色の犬は二頭残っている。デリーとアンコ、そのどちらかだ。

次に、ペスの遺体とポチの遺体の間を掘ってみた。ポチの遺体のすぐ近くで、すぐに一頭が見つかった。

アカだった。首輪はつけていたが、名札は見当たらない。これも、おそらく振り切ったのだろう。やんちゃなやつだったから。喧嘩好きなアカは他の犬たちから敬遠され、無視されがちだった。

そう思いながらすぐ近くを掘ってみると、すぐにスコップの先から感触が伝わってきた。もうわかっていた。遺体だ。

クロだった。黒い体毛で、黒柴犬のように目の上に白い斑点がある。これが可愛くて、隊員たちは「お公家さま」と呼んで可愛がっていた。ポチとクロは、アカをはさむようにして冷たくなっていた。クロの首輪と名札を回収した。

残るはリキと、デリーかアンコ。最後の捜索エリアは、ポチの遺体と紋別のクマの遺体の間だ。おそらくそこに残りの二頭はいたはずだ。

紋別のクマのすぐそばで、リキの首輪と名札が見つかった。

――そうだよな。お前が脱出できないとは思っていなかった。

さらに、すぐそばで「アンコ」の名札が見つかった。首輪は鎖から外れて、ばらばらになっていた。北村は首輪の一部を、名札とともに回収した。アンコが特定できたことで、シロの体毛とモクの遺体の間で見つかった茶色の体毛は、デリーのものと判断できた。

すべての犬の運命が判明した。

残置された十五頭のカラフト犬。

このうち、タロとジロは首輪から抜けた後も昭和基地にとどまり、三次観測隊と再会、保護された。

残り一三頭の運命は、死亡確認が七頭。ゴロ、モク、ペス、ポチ、紋別のクマ、アカ、クロ。行方不明が六頭。風連のクマ、ジャック、シロ、デリー、リキ、アンコ。

死亡七対不明六。

三月一六日。安堵と絶望を繰り返した、つらい確認作業は終わった。

極限状態の本能

カラフト犬は野性味が強く、テリトリーを大切にする。これは彼らの本能だ。それぞれの民家で一頭飼いされていた時は、自分のテリトリーが侵されることはなかった。

いきなり稚内の訓練所に集められた時、犬たちはテリトリーを失い、ライバルが大量に現れたわけで、緊張し、喧嘩も絶えなかった。しかし、徐々に馴化（じゅんか）していった。そして南極越冬の一年間の生活や犬ゾリの苦闘を通して、一五頭には一つの「群れ」という意識が確立した。意味もなく喧嘩し合う回数は急激に減った。

だが、自分たちの主人と信じていた人間が突然いなくなった時点で、一本の長いワイヤーロープに鎖でつながれていた一五頭の犬たちが混乱したことは容易に想像がつく。

恐怖か、怒りか、不安か。わからないが、危機に遭遇した場合は、一頭でいるよりも、群れでいるほうが生き抜くチャンスは増えるだろう。ライオン、象、サル、シマウマ、ペンギン。多くの動物が生き延びるために群れを作る。突然の危機を前に、カラフト犬の本能が教えたのだろうか。

——できるだけ、寄り添え、と。

北村は、あらためて発掘状況図をチェックした。やはり、三頭ずつ小さなグループを作っていた。

ジャックの前後から風連のクマとシロが寄り合う。モクの前後からデリーとペスが寄り合う。アカの前後からクロとポチが近づく。そしてリキの前後からアンコと紋別のクマが近づいたのだ。ゴロだけは、小型ソリにつながれたばかりに孤独な死となった。

そこから先の運命は、逃走に成功したグループと、そのまま息絶えたグループに、明暗が分かれた。つながれたまま死んでいった七頭。脱出に成功したとはいえ、目の前で仲間が苦しむ姿を見たに違いない、タロ、ジロを含む八頭。

北村は、ぶるっと震えた。寒いのではない。心が冷え切ったのだった。

ゴロ、モク、ペス、ポチ、紋別のクマ、アカ、クロ。発見された遺体は、かちんかちんに凍っていた。一年間も融けない氷雪の下にいたのだ。ほとんど冷凍庫に入れられたも同然だった。

氷雪に並べられた七頭の凍った遺体。居住棟内に安置してあげたいが、犬の遺体を入れることはできない。かといって、まるで路上に放置するように、雪面上に置きっぱなしというのは、感情的に許せなかった。

「せめて雪面ではない場所に安置してあげたい」

そう思って基地周辺をうろついていると、見かねたのか、隊員の一人が声をかけてきた。

「北村さん。いくらなんでも雪の上にずっとじゃ可哀そうだ。ドラム缶がある。あの上に安置してあげたらどうですか」

ありがたかった。ドラム缶ならみんな黙認してくれるだろう。北村は、ドラム缶の上に、凍りついた犬の遺体を安置し、手を合わせた。

いつのまにか、周りにいた隊員の何人かも、犬の遺体の前に立ち、手を合わせている。科学者、技術者のエリート集団である越冬隊員は、温かい心を持つ人間の集団でもあった。

——仲間はありがたい。

北村は、心からそう思った。この越冬隊の仲間たちがそばにいるから、自分は研究にも、犬の捜索にも打ち込める。南極のような極限の環境では、仲間が何より頼りだった。もし昭和基地に自分一人だったら……。そう考えると恐怖心すら覚える。

北村は七頭に声をかけた。

「一年間待たせたな。離れ離れで、つらかっただろう。すぐに、一緒にしてあげるからな」

水葬

遺体は水葬することになった。昭和基地から東へ。オングル海峡の一角が、彼らの墓標なき安息の場所になる。

北村は、かつて彼らが懸命に曳いた犬ゾリに、七頭の犬たちを乗せていった。七頭を横一列に並べることはしなかった。まずゴロ、モク、ポチ、紋別のクマを安置した。そして四頭の遺体の上に、ペス、クロ、アカを重ねた。

「北村さん、あんた、何をやってるんだ！」

近くにいた隊員たちが、驚いた様子で駆け寄ってきた。

「遺体なんだから、もっと丁寧に扱うべきでしょう」

「横に並べてあげたらいいじゃないか」

「これじゃ可哀そうですよ」

まるで荷物のように積まれた犬の遺体を見て、驚いたのだろう。隊員たちの口調は厳しい。

だが北村の気持ちは、まったく違っていた。

「くっつけてやりたいんですよ。こいつら死ぬ間際まで、少しでも仲間に近づこうと必死になっていた。でも鎖が邪魔をしてくっつけない。そんな姿で死んでいたんです」

隊員たちは、黙り込んだ。北村は、言葉が止まらなくなった。遺体を見つけた時のショックが後押しするように。

「逃げられない。怖い。だから仲間の体温とか、息遣いとか、感じたかったと思うんです。こうして積んであげたら、仲間とくっつけるでしょう」

犬ゾリに積まれたカラフト犬七頭の遺体。それは、南極で置き去りにされて死んだ犬への、哀悼のケルンだった。隊員たちは、小さくうなずいた。

三月のお彼岸とは名ばかりの、地吹雪の二一日。カラフト犬七頭の遺体を乗せた犬ゾリは、昭和基地を静かに出発した。ある者は敬礼で見送り、ある者は深く黙礼した。

昭和基地から東へ。凍りついて真っ白になったオングル海峡の上を、犬ゾリはゆっくりと進む。朝から灰色の雲が低く垂れこめていた。荒涼たる氷雪原に、地吹雪がびゅうと吹き付け、周りの風景を消し去る。離れ離れのまま息絶えた七頭は、ソリの上で、久しぶりにお互いの体を寄せ合っている。

二人の隊員がついてきてくれた。中村純二と小口高。中村はオーロラ、小口は地磁気、北村は宇宙線を担当していた。いずれも地球物理の領域だ。中村と小口は、日本人として初めて南極でオーロラを観測した北村を、学者として尊敬していた。

居住棟ではさまざまな科学的議論を交わした。討論を重ねるうちに、二人は、北村のカラフト犬に対する深い愛情を感じとっていた。だから村山隊長に同行を申し出た。隊長も温かい配慮をみせ、許可した。

「北村一人だと、危ないからな」

黙々たる葬列。風はややおさまり、白い雪が犬たちに少しずつ降り積もっていく。

水葬予定地に着いた。厚い氷が張っている。三人はアイスドリルを手にした。T字型をした、氷に穴を開ける道具だ。手で回転させながら上から圧力をかけ、氷に穴を開けて徐々に食い込ませていく。かなり力がいる。七つの穴が開いた。

次は、穴と穴の間に圧をかけて割れ目を入れる。七角形の小さな穴が開いた。オングルの黒い海が顔をのぞかせる。七頭のための七角形。ここが彼らの安息の場だ。ソリから犬たちを下ろし、穴の近くに安置した。

北村が最初に胸に抱いたのはアカだった。胴が長く、足が短い。融和性に欠け、友達がいない犬だった。

――アカ。お前は孤独で、つらい一生だったなあ。他の犬たちと仲良くなれなかったんだから、もう少し俺が優しくしてやればよかったな……。

中村と小口は、戸惑っている。北村が、両手に抱きかかえたアカを、なかなか海に沈めようとしないからだった。

二人の視線に気づいた北村は、腰を落とし、アカを氷の穴に静かに流し入れた。ゆっくり海に沈んでいく……そう思ったが、予想外のことが起こった。アカが沈んでいかない。まるで北村との別れを惜しむかのように、アカは海面に浮かんだまま、ゆっくりと円弧を描く。

「アカ。もういいよ。静かに休んでくれ」

アカは後ろ足から徐々に沈み始めた。ふさふさしていた尻尾、下腹部、胸部。最後にアカの顔がゆっくり消えていった。海面に小さな渦が残る。日本出航時五歳。体毛赤茶色。体重三四キロ。北海道稚内市から来た補助先導犬は、しょっちゅう首輪から抜けて北村を困らせた。しかし最後の鎖からは逃れることができなかった。

北村のそばで、中村と小口は男泣きしている。

北村は泣かなかった。

二頭目はクロ。一九五八年、一五頭を残置して帰った一次越冬隊は国民から激しい批判を浴びた。しかし、この年の四月に開かれた樺太犬追悼会で、クロの元飼い主は、北村たち越冬隊員を一切責めなかった。

「甘えん坊のクロを、越冬中、皆さんは可愛がってくださった」

そう言って隊員たちに頭を下げた。隊員たちは顔を上げられなかった。

「お前のことを、誇りに思っておられたぞ」

北村は海面に漂うクロに伝えた。日本出航時三・五歳。体毛黒色。体重三四キロ。隊員が他の犬を撫でると、自分もしてくれとクークー甘え声を出す可愛いやつだった。

三頭目のペスは、カラフト犬にしてはおとなしすぎた。食料をよく横取りされていた。それでも「えっ?」という顔をするだけで、決して怒らなかった。どう猛なカラフト犬が多い中では、強烈な個性はなかった。しかし、それこそがペスの良さであった。すべての犬が唯我独尊ではチームワークが取れない。日本出航時四歳。体毛薄茶色。体重三九キロ。北海道利尻郡沓形町から来た寡黙なベテラン犬は、犬ゾリチームの潤滑油の役割を十分果たしてくれた。

四頭目はポチ。最初見た時、北村は土佐犬じゃないのかと思った。カラフト犬とは異なる風貌だった。特に短毛だったから、南極は彼にとって寒すぎたかもしれない。だがもう寒さに震えることはない。みんなと一緒だ。日本出航時二・五歳。体毛茶色。体重三八キロ。北海道利尻島生まれの大食漢は、いつでもおいしそうに餌を食べてくれた。猛烈な頑張りを見せて、よくソリを曳いた。

五頭目はモク。本当におとなしい犬だった。カラフト犬は大きく分けて短毛と長毛の二種がある。モクは長毛グループの中でも一番毛が長かった。遠くにいてもすぐ判別できた。その名の通り、黙々とソリを曳いた。日本出航時二歳。体毛黒色。体重三八キロ。合併して深川市となる前の北海道雨竜郡一已村からやってきた。一致団結を謳う「一にして已む」にちなんだ土地名にふさわしい、チームワークに欠かせない一頭だった。

六頭目は紋別のクマ。兄弟の風連のクマともども、いろんな意味でカラフト犬らしかった。

暴れん坊で、喧嘩ばかりするのが北村の悩みだったが、やる気と体力はずば抜けていた。他の犬が疲れ切ったときこそ、自分だけでも曳くぞ、という気迫が伝わってきた。カラフト犬のよい面を多く持つ一頭だった。日本出航時三歳。体毛黒色。体重四三キロ。オホーツク海に面した紋別生まれの豪傑。

最後はゴロだ。一番頑張る犬だった。ボツンヌーテン探査の時のことだ。ゴロにいつものパワーがないので、不審に思った北村が体を調べた。尻尾の付け根に大きなできものができていた。膿が溜まっている感じだ。それでも頑張ってソリを曳いていたのだ。しかし痛みが限界にきたのか、不屈のゴロがとうとう動けなくなった。しかし、北村は無理を承知でゴロにソリを曳かせた。ゴロの力が絶対に必要だったからだ。だが、この時の無理がたたった。基地に帰還してすぐ、ゴロは重体になった。アザラシ肉が大好物だったゴロが、最後に食べたのは緑色のビニール片だった。

ゴロも、しばらくは浮いて、くるりくるりと海面を回った。やがて、もう時間だ、と少しずつ沈み始めた。一番力強く雪を蹴った後ろ足が、沈む。ちぎれんばかりに振った尻尾が見えなくなった。大きかった胴体。がりがりに痩せこけて、沈んでいく。前進を続けた、たくましい前足も消えていく。海面に浮いた顔が天を向いている。よく指示を聞いた両耳が、徐々に海中に没する。やがて開いた目が天を見つめたまま、すーっ、と見えなくなった。日本出航時二歳。体毛黒色。体重四五キロ。北海道稚内市から来た大型カラフト犬は、よくソリを曳き、よく食べ、最後まで生きようとした。

オングル海峡に、鬱々たる風が吹き渡っていく。ときおり氷穴のさざ波が光り、揺れる。もう二度と、七頭の姿を見ることはない。

北村は、海面を見つめていた。一年前、混乱の中で南極に置き去りにしてしまった一五頭のカラフト犬。やむを得なかったと、言う人もいた。どうして見殺しにしたんだと、責める人もいた。自分自身、悩んだ。そして再び、ここに来ることを選んだ。

思いがけず、タロとジロは生きていた。六頭は脱出に成功していた。

全滅ではなかった。だが、それで気が晴れることなどなかった。雪深く埋もれた犬の遺体を見つけるたびに、北村の心は鞭打たれた。

北村は、犬たちを見送った氷穴の前に跪いた。暗い海面をのぞき込む。その双眸に涙はない。しかし肩が、腕が、頭が、激しく震えた。それは、つぶれてしまった北村の魂が絞り出した、嗚咽なき慟哭であった。

犬たちの遺体は、
固い氷雪の下に
埋まっていた

上――氷雪の中から
丁寧に掘り出された犬の遺体
下――七頭の犬の遺体を載せて、
水葬へ向かう

第四章 検証（二〇一九年）

一日の走行を終え、キャンプで休む犬たち

まるで封印されたように

北村氏の証言は、そこで終わった。

二〇一九年。四月三〇日の昼下がり。福岡市のあちらこちらでは、藤の花が紫色の薄いカーテンとなって揺れている。第一次越冬隊に置き去りにされた後、タロ、ジロとともに、昭和基地にとどまっていた「第三の犬」。その正体を突き止める検証作業を再始動して、一年が過ぎていた。

一年間、北村氏に何度も取材を重ね、第一次越冬、そして第三次越冬当時の記憶をともにたどった。ある時は、二人して記憶の迷路に入った。疑問を一気に解決する資料を得た時は思わず手を取り合った。その間、二〇一八年の一二月に、第一次越冬隊員だった作間敏夫氏が鬼籍に入った。北村氏は、一一人いた第一次越冬隊の、唯一の生き残り隊員となった。検証を急がなければならない。

翌五月一日、元号は令和になった。

「先生、今日から検証作業に入りましょう。すべてはこれからですよ」

「そうですね。実はね、話しているうちに気づいたことがいろいろあるんですよ。第一次越冬中に起きた事件や、犬ゾリ探査で経験したこと。あるいは、第三次越冬で犬の遺体を探していた時のこともそうです。なぜか、六〇年経った今頃思い出したこともある。人の記憶は不思議ですねぇ」

証言中、北村氏は「あっ」とか「ああ、そうかぁ……」と漏らして、話を中断したことがたびたびあった。記憶の断片がつながり、ぼんやりしていたものが徐々に明確な像を結んでいく感覚。証言を続けていく中で、その頻度は増していった。また、何とも思っていなかったことが、実は重大なことだったのだと、今回の証言で気づいたことも多かった。

そうしたところを重点的に検証していけば、謎の解明に一歩ずつ近づくはずだ。

昭和史に残る「タロ、ジロの奇跡」。その物語の陰で埋もれ続けた「第三の犬」は、いったいどの犬だったのか。どんな謎が秘められていたのか。

「第三の犬」をめぐる謎は、いくつかある。もちろん、第三の犬の正体が最大の謎だが、それだけではない。なぜ遺体発見の事実が埋もれたままになっているのか。「第三の犬」はなぜ、他の犬たちのように基地から逃げ出さなかったのか。未熟な若いタロ、ジロと群れを組んだのはなぜか。食料はどうやって確保したのか――。

それらも、すべてが漠(ばく)としたままだ。

中でも不可解なのは、なぜ事実が公にならなかったのか、という点だった。「第三の犬」の遺体は、何人かの第九次南極観測隊員が現認している。一九六八年二月だ。隠しようがないし、隠す必要もない。

「私が第三の犬のことを知ったのが一九八二年。すぐに調べ始めたんですが、正直なところ楽観視していました。南極観測隊の公式記録は精緻(せいち)そのもの。『第三の犬』についても必ず詳細な記録はあると」

北村氏はまず、九次観測隊の公式記録を手に入れた。

【第九次南極地域観測隊（夏隊）報告 一九六七―一九六八】

二七七ページにおよぶ手書きの報告書は、総合編、部門編、資料編、同行者報告の四部構成だった。部門編と資料編には期待していなかった。各分野の報告に限られるからだ。総合編には可能性があると思った。総合編は二八ページ。四次隊で行方不明になった福島紳(しん)隊員の遺体発見に関する報告は詳細に書かれていた。だが、犬に関する報告はなかった。

次に、同行者報告に着目した。九次隊には四人のジャーナリストがオブザーバーとして同行していた。もちろん取材のためだ。犬の遺体発見は、観測隊の業務外のことであり、公式記録に記載する必要はないかもしれない。しかし、第一次越冬隊の置き去り事件で行方不明になっていた犬が、遺体となって発見されたのであれば、報道の世界では大ニュースだろう。記事にしないはずはない。同行者報告には、四人の記者たちが送稿した多くの記事のリストがあった。犬の記事はどこにもなかった。

【日本南極地域観測隊 第九次越冬隊報告 一九六八―一九六九】

もう一つの公式記録、第九次越冬隊報告書に期待をつないだ。

越冬隊報告書は、南極での日々が克明に記録されている。総括、越冬概況、観測報告、設営報告、生活、基地外作業および調査、極点旅行、報道。八章で構成された一四一ページ。中でも越冬概況に含まれる越冬日誌。日々の発見やできごとを記載している細かな記録簿は期待が持てた。しかし、二月一日から始まった越冬日誌に、第三の犬の遺体に関する報告はなかった。報道の記録にも、犬に関する記述はなかった。

北村氏の目論見（もくろみ）は完全に外れた。しかし、そこではたと前任の第八次隊の報告書に思い至った。

第八次越冬隊は、第九次隊との交代作業を終え、帰国の途に就く直前だった。しかし福島隊員の遺体が発見されたことで帰国予定を先延ばしにし、九次隊と協力して福島隊員の遺体安置、荼毘（だび）など一連の対応に当たったはずだ。

【日本南極地域観測隊 第八次越冬隊報告 一九六七―一九六八】

あまり期待していなかったが、報告書を入手して見てみると、第三の犬の遺体に関する記載が見つかった。しかしそれはほんの一行程度。

《今年の夏は、昭和基地の気温が極めて高く（中略）融雪現象がはげしかった。そのため、第一次が残したカラフト犬の遺骸すら発見されていることを付記する》

第三の犬の遺体が、確かに発見されたことは裏付けられたが、どの犬なのか、ヒントになるような記述は一切なかった。事実上、「第三の犬」を特定する記録がまったくないのだ。しかし、このことが逆に北村氏の探求心に火をつけた。

――おかしい。なぜだ。理由があるはずだ。

超高層地球物理学者の北村氏は、記録を取るのは科学者の本能だと思っている。記録がないのは不自然なのだ。正確に、詳しい記録を取る。正確に報告する。それだけでいいのに。

私にも違和感があった。元新聞記者の経験からいっても「第三の犬」の発見は大きなニュースだ。第一次越冬隊撤収時のカラフト犬置き去り事件から、ちょうど一〇年というタイミングもある。

《残置から一〇年　隊員黙とう》
《一〇年間待たせたな　観測隊、元飼い主へ連絡》
紙面の見出しがすぐに浮かぶ。報道する価値がある発見だ。記者なら誰でも取材し、原稿を書くと思うのだが、調べた限りでは記事は見当たらない。まるで封印されたように「第三の犬」は歴史に埋もれてしまった。
この疑問を解き明かしていくことは、「第三の犬」の特定にもつながるかもしれない。北村氏はそう考え、私も同意した。まずここからアプローチを開始することにしよう。三つの可能性について検証した。

職務専念義務

まず、南極観測は巨費を投じた国家事業であり、科学的研究が目的の公的ビッグプロジェクトである、という点に着目した。

厳格な審査をパスした隊員たちは、地球物理、地質、海流、気象など、さまざまな専門分野で調査や観測を行う。そのために一万キロ以上も離れた南極に赴くのだ。遊びではない。任務以外のことをする時間も、そのために割く人的余裕もない。勝手なことをやってはいけない。

そういう南極観測事業の原理原則に立てば、犬の遺体を発見したからといって、本来の任務を放り出して犬の情報を記録するのは本末転倒といえる。

　冷たい雪の下から犬が遺体で見つかったのだ。その死を悼む気持ちはもちろんある。しかし、情に流されず、任務を優先させなければならない。

　杓子定規（しゃくしじょうぎ）のようだが、極地では、研究にせよ生活にせよ、決められたルールを厳格に守らなければ、何が起きるかわからない。ルーティンに反したことをして、万一大けがでもしたらどうなるか。大手術をする病院など基地にはないのだ。規律を守ることが、越冬隊全体を守ることにつながる。それが南極だった。

　南極観測＝国家事業、というスタンスを徹底するならば、犬の遺骸に関する記録を誰も取らなかったとしても、ある意味当然といえるかもしれない。公務である以上、すべての隊員には定められた職務専念義務がある。


　思い返せば第三次観測隊の時も同じだった。三次観測隊の最大目的は、第二次隊が失敗した越冬の復活であり、科学的観測や調査の再開である。永田武第三次観測隊長、村山雅美第三次越冬隊長らにとって、それ以外は極端に言えば些事である。

　もちろん永田隊長も村山越冬隊長も、タロ、ジロが生きていたこと自体は、一人の人間として喜んだだろう。しかし現地責任者としては、基地がちゃんと機能するのか、越冬再開のめどは立つのか、といった確認と本国への報告が最優先だったはずだ。

それは、永田隊長がおそらく日本の上層部宛てに打電した報告を読めばわかる。

【〝宗谷〟で永田隊長一五日発】という約二六〇文字の報告は、昭和基地の建物や設備が健在であること、アンテナも大丈夫であること、燃料やソリなど屋外に置いていたものはそのまま保たれていること、気象観測計が停止していることなど、本部がいち早く知りたい基地の状態を記載しており、最後に「犬はタロおよびジロらしい二頭が健全で大きくなっている。他の犬は目下行方不明」と書いてあるだけだ。

【昭和基地で永田隊長一五日発】という約五八〇文字の報告でも、昭和基地に入った隊員名と人数。建物の様子。室内の状態。保管してあった燃料や薬品はそのまま使用できること。ディーゼル発電機に故障は見当たらず、雪上車一台も手入れすれば使用できる見込みであることが詳述されているが、タロ、ジロに関する記載はほとんどない。

この永田隊長名の報告は、全国の多くの新聞が一面トップで掲載した。見出しこそ「タロ、ジロは生きていた」と躍っているが、内容は第三次越冬が再開できる確認ができたことがメインで、タロ、ジロに関する記述はほとんどない。それは、記事ではなく第三次観測隊長としての報告だからであり、ある意味当然といえる。国家事業の継続が可能かどうかという情報を上げることが最優先だったのだ。

第三次越冬時、村山雅美越冬隊長は、北村氏が犬の遺体を探して雪穴を掘る作業を黙認してくれた。また七頭の遺体を水葬にする際に中村純二隊員、小口高隊員の同行願いを受理した。

これは特例だった。公式な任務から外れた、感傷的ともいえる行動を安易に認めてくれるほど、南極は甘くはないのだ。

北村氏自身、三次越冬を志願した理由は「地球物理研究」であり、決して「犬の捜索」ではなかった。後者の理由で選抜される可能性はゼロだった。

決して冷淡なのではない。合理的なのだ。

第九次隊員にとっても、第一次越冬は一〇年前の話だ。昔の犬への関心など、隊員になくてもおかしくない。必然的に犬の遺体のデータを詳細に取ろうという空気など生まれなかった。それは九次隊に与えられた任務ではない。余計なことをしてはいけないのだ。

その結果、確定的な証拠は残らず、「第三の犬」は歴史に埋もれてしまった——。

そういう視点で見ると、公式資料に記載がないことも、遺体発見の場にいた隊員たちの記憶が曖昧なのも、北村氏自身が科学者だからこそ納得がいく。

福島隊員の遺体発見

続いて「第三の犬」発見時の状況に着目した。

「第三の犬」の発見が、第四次越冬時に遭難したまま行方不明になっていた福島紳隊員（理化学研究所）の遺体発見と前後していた、という点である。一九六〇年、第四次越冬時に発生した福島隊員の遭難事件は、日本の南極観測史上最大の悲劇だった。

一〇月一〇日、福島隊員は吉田栄夫隊員（都立大）とともに建物から出た。タロや子犬たちに餌をやるためだった。この日はブリザードが吹き荒れており、戸外は視程が悪かった。二人は犬に餌をやった後、いったん基地に戻ったが再び戸外に出た。その後吉田隊員はなんとか建物に戻れたが、福島隊員はそのまま行方がわからなくなった。懸命の捜索が行われたが発見できず、現地時間の一七日午後二時をもって死亡と認定された。日本の越冬隊員で初めての犠牲者だった。

その福島隊員の遺体が、一九六八年二月九日、第九次隊員によって発見された。その年の南極は特別気温が高く、大量の雪が融けた。福島隊員の遺体は、その融けた雪の下から見つかったのだ。発見場所は、昭和基地から南西四・二キロも離れた地点であった。ブリザードで方向を見失い、強風に流され、さまよったあげくの死だったのだろうか。

福島隊員の遺体が発見された九日の時点で、第八次越冬隊と第九次越冬隊との引き継ぎ作業は完了していた。

オブザーバー一名を含む九次越冬隊の二九名は、四名の夏隊員とともに昭和基地に入り、翌一〇日に予定されていた第九次越冬隊成立の式典準備と、基地増設作業に忙殺されていた。全員が与えられた任務を遂行するのに忙しかった。

しかし福島隊員の遺体発見は、任務外などというレベルの問題ではない。九次隊は本来の任務をすべて中止し、遺体の確認、検死、収容、荼毘、日本への遺骨移送に総力を注いだ。

一方、引き継ぎを終えた八次越冬隊の二四名は、全員が南極観測船「ふじ」に乗船していた。その中には、福島隊員が遭難した時に一緒にいた吉田隊員の姿もあった。一〇日の第九次越冬隊成立式典が終われば、第九次隊の夏隊員とともに日本に向かう予定だった。

だが、福島隊員の遺体が見つかったため、「ふじ」を下船して、九次隊と連携。対応に尽力した。

つまり、福島隊員の遺体発見という想定外の事態に直面して、八次越冬隊、九次観測隊は力を合わせ、やれることを精一杯やった。大変な作業だったことは、容易に想像がつく。

第九次隊の夏隊には、四次越冬隊員でもあった村越望隊員が参加しており、福島隊員の遺体発見現場に居合わせていた。このためすぐに遺体は福島隊員であると確認された。犬の遺体発見はその後だったと、のちに村越氏は北村氏に話している。

大混乱のさなか。おそらく、ほとんどの隊員は疲弊しきっていただろう。「どの犬なのか詳しく調べよう」という機運が生まれなかったとしても無理はない。むしろ、それが自然だ。

実は北村氏は「福島君が死亡した責任の一端は自分にある」と、今でも自身を責め続けている。

福島隊員が遭難した時、北村氏は京都にいた。愕然とした。福島隊員は北村氏の小学校以来のライバルであり、無二の親友でもあったからだ。

「なぜ福島隊員の死が先生の責任なんですか」

私の問いに、北村氏は二つの悔いを告白した。

福島氏は、もともとは南極にはまったく関心がなかった。第一次越冬隊が出航した一九五六年一一月。東京晴海ふ頭に福島氏も見送りに来てくれたが、その時も、福島氏は北村氏にこう言ったという。

「まったく酔狂だな。なんで南極なんかに行くんだ。なんの意味もない」

フィールド派の北村氏とは対照的に、福島氏は研究室でじっくり取り組む学究肌だった。その福島氏に、一次越冬から戻った北村氏は「南極はいいぞ。超高層地球物理を志す者ならば、絶対南極に行くべきだ」と言ってしまった。福島氏は、内心おおいに触発されたはずだ。この発言がインドア派の福島氏の心に火をつけ、南極に向かわせる動機になってしまった――北村氏はそう思っている。俺は、死へと、無二の親友の背中を押したのだ、と。

二つ目の告白。第三次越冬隊の北村隊員は、第四次越冬隊員として南極にやってきた福島隊員の手を取って、頭を下げた。

「タロとジロを頼むぞ。あいつら、必死に生き抜いたんだからな。しっかり面倒見てやってくれよ」

福島氏は四次越冬隊の犬係ではなかった。犬の世話は犬係の役目だ。それなのに、親友という気軽さから、つい安易な気持ちで頼んでしまった。

福島隊員が遭難した夜は、ブリザードが吹き荒れていた。しかし、福島隊員はタロたちに餌を与えるために、危険な外に出た。なぜか。

「ジロが死んだからだと思います。ジロは遭難事件の三カ月前、七月九日に、基地で病死しました。もちろん福島に何の責任もない。だがジロを死なせてしまったと、自分を責めたのだと思うのです」

自分の言葉が福島に無理をさせてしまったのではないか。その悔恨が北村氏を苦しめている。

福島隊員の南極行きが決定した時、北村氏は急に心配になった。福島隊員には山岳経験がないからだった。それは、南極において、クレバスやブリザード、低温などに対する対応能力や判断能力がないということだ。心配のあまり、北村氏は同じ四次越冬隊員の村越望氏に手紙を書いた。そのコピーが、今回手に入った。そこにはこう書いてある。

「福島紳坊（原文ママ）をお願いします。……やはり、ああした（極地の）生活は初めてなので、何か問題を起こすかもしれない……」

文面には、山岳の経験がない親友福島氏を心配する気持ちがにじんでいる。しかも、不幸にして予感は的中してしまった。

福島隊員の遺体発見の直後に、第三の犬の遺体が見つかった。

現場は福島隊員の遺体への対応が最優先であり、犬にかまう余裕など、まったくなかった。

「第三の犬」発見の事実が埋もれてしまったのは、日本の南極観測史上最大の悲劇と重なったため。まさしくタイミングの問題だった。これが第二の可能性だ。

不作為の作為

第三の可能性。これは「調べた限りでは」という前提があり、内容は少しデリケートな事情をはらんでいる。

「第三の犬」が発見された一九六八年は、一次越冬隊撤収時に一五頭のカラフト犬を置き去りにして、まだ一〇年だった。国民の怒りは決して収まってはいなかった。置き去りにした当時の日本国民の怒りは尋常ではなかった。その矛先は、一次越冬隊だけにとどまらず、トップ組織の南極地域観測統合推進本部、さらには政府にも向けられた。

「なぜ犬たちを見殺しにしたんだ」

「南極観測なんか、廃止しろ」

連日、抗議の電報、電話が関係機関に殺到した。政府も推進本部も、火消しに躍起になった。

　それから一〇年。あれほどの怒りはさすがにみられなくなったが、依然として南極観測に対する視線は厳しかった。そんな微妙な状況で、置き去りにされた犬の遺体発見を公式に報じれば、再びあの事件が国民によみがえり、収まりかけてきた批判が再燃する恐れがある。南極観測事業に影響が出るかもしれない。

　事件からちょうど一〇年だからこそ、なおのこと公表はリスクがある。

　確かに、第八次越冬隊の報告書には、第三の犬の遺体発見の事実だけは、短いながらも記載されている。しかし、その報告書は当然ながら帰国後に政府に提出されたものだ。

　ニュースは現場にある。第三の犬の遺体発見現場で、その事実を公表してこそ、国民やメディアの関心が集まる。しかし、そうすることは、わざわざ火種を自分から作ることになるのではないか。そういう心配が、南極の現場ではなく、むしろ日本の上層部で働いたということは考えられないか？

　――これは、ありそうな話だ。

　私はそう思った。政府や地方自治体、警察など権力を持っている組織は、都合の悪いことは隠そうとする。仕事柄、そういうことは何度も経験してきた。公表は得策ではない。だから公表しなかった、ということは、十分考えられる。検証できないだろうか。

　南極に置き去りにされ、一〇年間も行方不明だった犬の遺体が突然見つかったのだ。十分に報道する価値がある。しかも第九次観測隊の夏隊にはＮＨＫ、共同通信社、ＴＢＳから派遣された三名のジャーナリストが、冬隊には朝日新聞社の記者一名がいずれもオブザーバーとして参加している。つまり「第三の犬」の遺体が見つかった時、南極には四人の報道陣がいた。これだけのニュースバリューがあるのだ。普通に考えれば必ず取材し、記事を送るはずだ。その記録はないだろうか。記事が送られていたら公表されたとみるべきであり、送られていなかったら公表されなかったのだと考えるのが自然だ。

第一次観測隊の時は朝日新聞社の社員が六名いたが、共同通信も夏隊員として一名派遣している。共同通信の記者は全国の新聞社、テレビ局、ラジオ局向けの記事を書くのが任務。派遣されたのは田英夫氏。のちに日本のニュースキャスターの魁（さきがけ）となった、骨太のジャーナリストだ。

第九次隊に同行した記者たちも、田氏と同様に、各社を代表するような敏腕記者ぞろいだっただろう。「第三の犬」の遺体が見つかったことを知れば、記者たちは詳しく取材し、記事にするはずだ。

北村氏も私も、その点では意見は一致した。各社が送り出したエース記者が、事実を知って書かないはずがない。だが遺体発見という情報そのものを知らされなかったなら、書きようがない。

客観的な証拠はないのか。検証を進めていると、第九次南極地域観測隊（夏隊）報告の二六六ページから二六九ページにかけて、「同行記者団報告」というレポートを見つけた。南極に行った四人のジャーナリストの連名だ。報告の後半部分に、南極から送った原稿の一覧表があった。

報道記事は二種類あった。「プール電報」と「特電記事」。「プール電報」のプールとは、おそらく「共用」という意味だろう。南極記者会、あるいは日本新聞協会加盟各社が平等に使用できる原稿。共同通信の記者が三一本、朝日の記者が一〇本、合計四一本書いている。一九六七年一一月三〇日の「レイテ沖慰霊祭」から始まり、「定着氷に接岸」「昭和基地に第一便」「大型雪上車陸揚げに成功」といった記事が続き、一九六八年二月九日付で「福島隊員の遺体発見」「涙こらえる鳥居隊長ら」、一〇日付で「遺骨、昭和基地に帰る」という、福島隊員の遺体発見に関する記事が三本ある。しかし、「第三の犬」に関する記事は一本もなかった。

次に「特電記事」を調べた。「共同特電」とあるのは、共同通信の記者が書いた独自記事と思われる。「南極に地震?」「(福島隊員の)遺体発見さまたげた雪」など五本。「朝日特電」は当然朝日新聞社の記者が書いたものだろう。「遺体発見に重なる偶然」一本だけ。「NHK特電」も一本あったが、これは福島隊員に関する記事ではなかった。つまり、「特電」では、福島隊員関係の記事が二本あったが、やはり「第三の犬」の記事はなかった。

四人のジャーナリストがいたのに、「第三の犬」に関する記事は一本もない。ここから推測できるのは、第三の犬の遺体が発見された南極で、同行記者団の記者会見やブリーフィング、資料の配布といった形で事実が公表された可能性はほとんどないということだ。

もちろん公表はしたが、現場にいた四人の記者が記事にする価値なしと判断して報道しなかった、ということは、可能性としてはある。だが、日本人のほとんどが知っている「一五頭置き去り事件」の被害犬が一〇年ぶりに発見されたのだ。これほどニュースバリューが高い情報が提供されたのに書かなかったというのは、考えられない。報道の世界では、情報を得たが価値なしと判断して書かないことや、書いたけれども掲載しないことを「ネグる」という。ネグレクト（無視する）から来たと思われる業界用語だが、「第三の犬」遺体発見という話は、絶対にネグる情報ではないからだ。

ただ、観測隊の公式資料に掲載された出稿一覧表は信頼できるとしても、他に送稿した記事がないと言い切れるのだろうか。ひそかに原稿を送ることはできたのではないか。私たちは、「同行記者団報告」の中にあった一文に注目した。

「プール電報に隊長、船長のサインを必要とする問題が、今回も未解決に終わった。隊員でない同行記者の原稿に、社外の第三者のサインが必要だということは、現場の記者としてやはり釈然としない。この点、南極記者会、新聞協会などでも取り上げてもらって検討したいと思う」

この文章に滲むのは、検閲に対するジャーナリストとしての怒り、無念さである。報道機関が記事の内容を他者に見せて許可を得るということは、本来あり得ない。それは報道の自由、表現の自由を権力が抑え込むことになるからだ。戦時中に、新聞やラジオは日本陸海軍の最高統帥機関である大本営に記事を検閲され、真実の報道ができなかった。このことが戦争拡大を防げなかったという悔恨が日本の報道界にはある。戦後まもないこの頃の記者は、特に権力の介入には神経質だったはずだ。

しかし、南極では検閲を余儀なくされた。今のようにインターネットや衛星携帯電話などない時代。各社がすいすいと独自に記事を送れる環境はなかった。記事の送信は、南極観測船「ふじ」の送信機器に頼るしかなかったのだろう。記者としての報道魂はあっても、送る手段がない。「第三の犬」遺体発見の事実を知っても、南極から記事を送ることは不可能だったということだったのかもしれない。

しかし、記者が帰国した後であれば、送信の問題は解消される。知っていたのなら書けたのではないか。それとも、そういう行為自体許されない、一種の縛りのようなものがあったのだろうか。

私たちは、当時の新聞の縮刷版などを可能な限り調べた。その範囲では、「第三の犬」の遺体に関する記事を見つけることはできなかった。しかし、すべての新聞社の記事紙面を調べたわけではない。ひょっとしたら、何年かたって、どこかの新聞に小さく掲載されたということはあるかもしれない。その可能性は否定できないが、公式資料に記載された記事の出稿記録を見る限り、「第三の犬」の遺体発見という記事はなかった。

いずれにしても、南極観測を推進する政府や南極観測の本部としては、「第三の犬」の遺体発見を積極的に公表するメリットはなく、むしろデメリットが想定される。そうした状況下で、あえて公表するということはなかった可能性がある。「かん口令」や「隠ぺい」ということではない。いわば「不作為の作為」。そこに悪意はなく、ただただ南極観測事業を滞りなく進めたいという理詰めの判断が優先された。この考えは、私たち二人には意外な説得力を持って浮き上がってきた。

「第三の犬」は、あえて公表されないまま、歴史に埋もれてしまった可能性がある。あくまで「可能性」だが、現時点での私たちの結論は、そこに落ち着いた。

足りない体毛と体格情報

令和最初の五月。世の中はゴールデンウィークに入っていた。

「どんたくは、にぎやかですか？」

北村氏が珍しく、犬以外の話を私に振った。心地よい春風が、北村氏が入居している施設の個室に流れ込んで来る。一年間にわたる証言を終えて、北村氏にもゆとりが生まれたのだろう。

どんたくとは、八三〇年余の歴史を持つ福岡の伝統行事だ。正式には博多どんたく港まつり。休日を意味するオランダ語「Zondag」が語源と言われている。毎年五月三日と四日。市内各地を仮装した市民が練り歩く。全国から二〇〇万人が詰めかける、連休中の国内最大の祭りだ。

「例年通り、にぎわってますよ。音楽、しゃもじを叩く音、見物人の歓声。うるさいぐらいです」

市内の喧騒とは対照的に、この施設周辺は、しっとりとした静けさが保たれている。検証作業には申し分ない環境だ。

一年間の北村氏の証言は、すべてパソコンに記録し、時系列とテーマ別に整理してある。しかし私には少し不安な点があった。

「第三の犬」の遺体に関して、北村氏が聞き取りした第九次観測隊員の証言。これと、今回の北村氏の証言とを比較照合しながら、犬の外観情報を再検証することになっている。しかし北村氏の証言内容をチェックすると、意外に犬の外観に関する情報が少ない。そこが気がかりだった。

「第三の犬」の遺体を見つけた第九次観測隊員に対し、北村氏が聞き取り調査した結果は、次の三点に集約された。

「発見場所はカラフト犬係留地の近く」

「大きくはない体格だったようだ」

「少なくとも黒色ではない体毛」

それらの証言をもとに、北村氏は一九八二年以降考察を深め、ぼんやりとしたレベルではあったが、どの犬が「第三の犬」である可能性があるか、という推理をしたのだった。

その推理を、さまざまな状況証拠や新たな検証、資料の評価を加えることで、もっと論理的に絞り込みたい。そのためには、「第三の犬」候補の六頭に関する体毛、体格についての情報をもっと増やす必要がある。現状では足りない。

「先生。これまでの証言では、六頭の体毛や体格に関する情報が少ないですね」

「えっ、そうですか？」

「はい。能力とか性格については、詳しく話されています。しかし体毛と体格については、証言がほとんどありません。先生。犬の外観特徴は、解明の入り口です。六頭の体毛と体格。この二点に絞って、もう少し詳しく話してもらえますか」

私は、促すようにパソコンのキーボードに手を置いた。

北村氏は、話しださなかった。一瞬、口を開きかけるが、また口をつぐむ。時間だけが過ぎていく。北村氏は記憶の扉を必死にこじ開けようとしている。そばにいて、それはよくわかった。唇を噛み締め、「う〜ん」と何度も唸りながら、下を向いている。三分たったか、五分も過ぎたか。やがて顔を上げて、北村氏は言った。

「悪いけど、はっきりしない。記憶がこんがらがって……」

「先生。落ち着きましょう。第三次で犬の遺体を掘り出していた時の証言では、シロは白い体毛、デリーとアンコは茶色だった、とおっしゃってましたよ」

「うん。シロは白色だった。それは間違いありません。ただ、他の五頭はどうだったかな。思い出せない……」

私は焦らなかった。ここは待つ。一年間の経験上、これが最良の方法だった。この一年間、ふとしたきっかけで北村氏の記憶が突然よみがえることは、何度もあったからだ。

——目線を変えよう。

この一年間に、私たちは公的記録、私的記録を相当集めた。北村氏の証言内容によっては、そうした資料を入手して確認する必要があったからだった。資料は膨大な量になった。その中に、犬に関する資料がなかったか？　ひょっとしたら重要な資料を見落としたかもしれない。とにかく、資料を全部見直してみよう。

犬用検疫証明書

もし北村氏の手が不自由でなければ、集めた膨大な資料は理路整然と整理されただろう。しかし不幸なことに、その作業は、資料を乱雑に積む悪癖がある私の役割だった。これは、探すのは骨だ。

「先生。すこし休んでいてください」

私は北村氏を休ませ、崩れ落ちそうになっている資料の山に取り組んだ。上から少しずつ手に取って、調べ始めた。かすかだが、何か記録があったような、根拠のない感覚がある。犬に関する、何かの資料――。

資料の山が三〇センチほど低くなった頃、一枚の紙が見つかった。犬のリストのコピーだった。英文だ。

《List of Sledge Dogs》

「ソリ犬のリスト」という意味だろう。しかしこの資料には、作成者も提出先も書いてない。そういう文書はあり得ないだろう。この紙とセットになっていた文書があるはずだ。

さらに探し続け、ようやく一枚の文書のコピーを見つけた。最初のリストと同じ様式。かつてはセロハンテープのようなものでくっつけられていたのだろう。ほぼ同じ位置に、薄茶色のテープ痕もある。間違いない。この二枚の用紙はセットになっていた。

新たに見つけたコピー。

QUARANTINE CERTIFICATE FOR DOG
つまり「犬用検疫証明書」だ。

Name of country（destination）　Antarctica
目的地は南極大陸！　その先の文章を読む。

Certified that the abovementioned dog which was send from the port of Tokyo of Japan, has undergone a complete quarantine inspection in accordance with the provisions of the Rabies Prevention Law.（日本の東京港から送られた上記の犬が狂犬病予防法の規定に従って完全な検疫検査を受けたことを証明する）

Date: Oct., 30th, 1956（一九五六年一〇月三〇日）

一九五六年一〇月三〇日は、第一次越冬隊を乗せた南極観測船宗谷が東京の晴海ふ頭を出航した一一月八日の九日前だ。日付でみても矛盾はない。発行機関名は、Veterinary Quarantine Office Animal Quarantine Service（獣医検疫局動物検疫サービス）。重要なのは、その後にAttached Sheet（用紙添付）と明記してあることだ。つまり、別紙があるということになる。

この別紙が何枚なのかはわからないが、少なくとも、《List of Sledge Dogs》がその一枚であることは間違いないだろう。さらに、この検疫証明書の上部には、うっすらと手書きで「成犬二〇頭分」という文字も見える。リストの犬の数を数えたら、ぴったり二〇頭で、性別はすべてオスだった。一次隊のソリ犬はオスの二〇頭だ。この二枚は、公式資料のコピーとみて間違いないだろう。

私は北村氏の肩をゆっくり揺り動かし、目を覚ましてもらった。

「先生。この資料。見覚えはありませんか？」

目をこすりながら、しばらく文章を見つめていた北村氏は、私を見た。

「これは、すごい資料じゃないですか！」

犬の名前、年齢、雌雄別、体毛の色、体重、体高、体長。リストの二〇頭の中に、行方不明になった六頭も含まれていた。

私たちは、まず体毛について、この英文資料と九次隊員の証言を突き合わせていくことにした。

犬の体毛は、実は年齢とともに変化することもある。たとえば、黒柴犬は子犬の時は真っ黒と真っ白のコントラストがはっきりしている個体が多い。しかし老犬になると、白色だった部分が茶色になったり、全体がぼやけた感じになることもある。ただ、それはかなり長生きした場合だ。わずか二年前後で急激に体毛の色が変化することはないだろう。

私たちは、犬のリストを食い入るように見つめた。数分が経過した時だった。

「あっ」

北村氏が、突然大きな声を出した。

「どうしました？」

聞くと、北村氏は激しくむせた。それでも北村氏は言葉を続けた。

「思い出した！」

「えっ、何を？」

「第三の犬の体毛です。九次隊員に聞き取りした時、『白っぽかった』と言っていた人がいたんです！」

——白っぽかった？

九次隊員が証言した体毛情報は「少なくとも黒色ではない」だったはずだ。それでは曖昧だが、「白っぽい」のであれば、かなりイメージを限定できる。思い出した記憶が正しいなら、これは非常に有力な情報になる。再確認しよう。

「先生。白っぽかった、というのは、間違いないですか？」

「はい。さっき、第三次で遺体を発掘していた時の話で『シロの体毛は白色だった』と言いましたね」

「ええ」

「あの時、何か、引っかかっていたんです。でね、この英文リストのシロの体毛表記。これを見ていたら、突然思い出したんです」

そう。北村氏は、このようにちょっとしたきっかけやヒントで記憶がよみがえることがある。私はこれを待っていた。リストを見ると、シロの体毛は「White」とある。白色だ。

「このWhiteを見て思い出したんですか？」

「はい。誰だったか忘れましたが、九次隊員に聞き取りをした時に『白っぽかった』と言った。それで私は、Whiteなのか、Whitishなのか、再度聞いたのです。彼はWhitishと返答しました」

Whiteは「白色」だが、Whitishは「白っぽい」だ。北村氏は、オーロラ研究で二度にわたってカナダのブリティッシュコロンビア大学に研究留学している。論文も英文で書くことが多いので英語には精通している。九次隊員も多くが学者であり、英語力があったのだろう。日本語よりも、英語の方がぴんとくるのかもしれない。

これは大きな収穫だった。しかもリストは、さらに貴重な効果をもたらしてくれた。記載されている体毛の色を何度も確認しているうちに、体毛に関する北村氏の記憶が一気によみがえってきたのだ。ついさっきまで「シロ以外の五頭の体毛は、はっきりしない」とうつむいていた。それが今は、自信に満ちた科学者の表情になっている。

「このリストにある二〇頭の体毛の色、体格、全部思い出しましたよ」

立ちはだかっていた厚い壁は、一気に消え去った。

最初の手がかり

私たちは「体毛は白っぽかった」という九次隊員の重要情報を判定基準にして、リストに記録された六頭について調べていくことにした。

「白っぽかった」のであれば、全身が黒い体毛で覆われている犬は除外してよい。六頭のうち、リストの体毛表示が「Black」、つまり黒色と表記されているのは風連のクマだった。

「風連のクマは、真っ黒で、すごく長い毛だった。息子のタロ、ジロもまったく同じ色と長さだった。かなり巻き毛だったんです」

記憶が回復し始めると、その内容は詳細だった。風連のクマは除外された。残るは五頭。先ほどのシロ。

「先生。これは外せませんね」

「シロは全身真っ白でしたね。徐々に汚れてはいったけどね」

真っ白だったが、越冬中に徐々に汚れたのだろう。ならば「白っぽい」に一番近いのではないか？

英文リストに「Grayish fawn」と記載されているリキ。「灰色がかった小鹿のような色」ということか。これはまさにグレーゾーンだ。判断がつかないので、リキについては判断を留保することにした。すると、タイミングよく朗報が届いた。北海道稚内市のまちづくり政策部地方創生課からの連絡だった。

一九五六年に稚内市内の施設で始まったカラフト犬の犬ゾリ訓練。その古い写真を探し出して送ってくれたのだ。犬ゾリの先頭を走っているのはリキだった。

「おお。リキじゃないか」

写真を見せると、北村氏は身を乗り出した。写真は思いのほか鮮明だった。モノクロではあるが、濃淡の識別ははっきりできる。リキの全身の体毛は均一の濃さではなかった。顔や胸、前足にかけては、ほぼ真っ白といってよく、その面積も広い。背中や頭などは薄い灰色だった。印象としては、まさに「白っぽい」感じだ。これは外せない。判別に直結する、ありがたい情報だった。

時間がかかったのは、デリーだった。英文書には「Brown」と表記してあった。茶色だ。第三次越冬時の遺体掘り起こしに関する聞き取りの際にも、北村氏自身「デリーとアンコは茶色だ」と言っていた。

ところが、一九八二年に北村氏が作った資料では、デリーは狼灰色となっていた。二つの情報では茶色なのに、一つは狼灰色。

「先生、これはどういうことですかね」

北村氏は、難しい顔をして答えた。

「この茶色というのは、やっかいなのです」

私たちは、茶色のイメージを持っている。茶色のテーブル。茶色の靴。茶色のスーツ。有名ブランドのバッグ。茶色のトイプードル。

「それが一般的に感じる茶色ですね。しかし、そういうふうに見えない茶色もあるのです」

色には色相、彩度、明度の三要素がある。茶色、正確にいえば褐色を、彩度で細かく分類していくと、私たちがイメージする「茶色」ももちろんあるが、「灰色」のように見えるケースもあるという。

「人間の目が受け取る色の情報は、意外に曖昧なんですよ」

つまり、リストに「Brown」と表記されていても、一般的な茶色と断言できないこともある。濃さや体毛の長さ、光の具合や周囲の色などによって印象が違うことがある、というのだ。

「この英文リストを書いた人の英語力の問題や、色に対する解釈の問題もあるが、私が一年間南極で見てきたデリーは、必ずしも茶色ではありませんでした」

しかし北村氏は、発掘現場で茶色の体毛が見つかった時に「デリーかアンコの体毛だ」と言っていたはずだ。矛盾しないか。

「デリーは、光の当たり具合によっては、茶色に見えることもあった。だから茶色の毛を見つけた時、念のためデリーの名前も挙げたのです。しかし一年間を通した場合、茶色に見えたケースは少なく、ほとんどの場合は狼灰色だった」

つまり、デリーは「狼灰色」であり、それは「白っぽい色」である。除外できない。では、アンコはどうなのか。

「デリーと違い、アンコはいつ見ても茶色でした。そこがデリーとは違う。ただ、胸元がツキノワグマのように白かった記憶がありますが、あとは全部茶色でした」

ツキノワグマのような白い胸元。それは想像しやすい。しかし、体全体から見れば白い部分は小さいという。常に茶色に見えていたのであれば、除外できるのではないか？　しかし北村氏は慎重だった。

「急がなくてもいいでしょう。体格の検証でどういう結果が出るか、私は確認したい。体毛と体格。両方を総合的に判断したうえで、結論を出しましょう」

北村氏は科学者の顔で言った。

ジャックの体毛は「Black & White」と記載してあった。北村氏はジャックの特徴を完全に思い出していた。

「正面から見た場合、首、胸、左足、左半身にかけて真っ白でした。しかし他の部分はほぼ黒色。パンダやホルスタイン牛のように、白黒のまだら模様だったのです」

つまり遺体の向きがどうだったか、が決め手になる。しかしその情報はない。とりあえず保留するしかなかった。

体毛での外形判断は終わった。風連のクマを除く五頭が残った。

同時に、ずっと気になっていた一頭のカラフト犬を、対象から外すことができた。第一次越冬中に行方不明になった比布のクマだ。その後、昭和基地は約一年間無人になった。誰もいなくなった基地にひょっこり舞い戻った可能性はないのだろうかという疑念だった。

しかし比布のクマの体毛は、兄弟の風連のクマ同様、真っ黒だった。「白っぽかった」という証言に合致しない。心の片隅にひっかかっていたのだが、これで比布のクマも除外できた。

第二の手がかり

次は体格だ。体格は成長に伴って大きくなる。リストが作成されたのは、少なくとも犬用検疫証明書が発行された一九五六年一〇月三〇日よりも前だ。「第三の犬」が死亡したのは、早くても一九五八年二月以降。リスト作成時からカウントすると最低でも一年半近くが経過しており、死亡した時期を長めにとれば二年以上経過している可能性もある。個体によっては、体格は大きくなっているかもしれない。

特に若い犬は成長が早い。たとえば二歳のアンコは越冬中に驚くほど大きくなった。タロ、ジロも、置き去りにされていた一年の間に、驚くほど大きな犬に成長していた。そのせいで、発見当初は風連のクマなど他の大型の犬と勘違いされたほどだった。若い犬は個体によっては急激に大きくなる。そうしたケースではリストのデータとの誤差が大きい可能性が出てくる。この点は考慮する必要がある。

まず、「大きくはない体格」という九次隊員たちの証言の意味は「中ぐらいの体格」と解釈してよいだろう。つまり、もともと巨体の犬は除外できる。

行方不明の六頭の中で最大のサイズだったのは、体長がともに七二センチあったアンコと風連のクマだ。体長が七〇センチを超える大型犬はこの二頭しかいない。体高でも、アンコは六四センチと最大だった。しかも北村氏によると、アンコは越冬中にさらに大きくなったという。

「アンコは出航時二歳。若くて食欲旺盛でした。越冬も半年を過ぎる頃には、最大の犬だったゴロと同じぐらいの巨体になっていました」

「第三の犬」の遺体発見時の体格記録はない。したがって正確な比較はできない。しかし、それほどの巨体であれば、南極に置き去りにされた後、ある程度は痩せたとしても中型犬ほどまで縮むことはないだろう。

完全餓死したゴロの解剖記録が参考になる。ゴロの生前の体重は約四五キロ。遺体を解剖した時は二二キロしかなかった。内臓は委縮していた。しかし、体長に大きな変化があったという記録はなかった。体長に顕著な萎縮が確認されれば検死記録に残るはずだ。アンコの巨体を、中型サイズと見間違えることはないと考えてよいだろう。

「体毛の検証段階でも、アンコはいつ見ても茶色だった。体格も大きすぎて、目撃情報とは合致しない。二重に可能性がないアンコは除外しましょう」

北村氏は、ようやく断言してくれた。

検疫時、体長六〇センチ台の「中型」だったリキは六歳。デリーは五歳。

「二頭は高齢ですから、急激に巨体になる年齢ではないですよね」

「はい。リキもデリーも、食欲は年齢なりで、越冬中に巨大になったということはありません。ずっと中型の体型を維持していました」

しかし三歳だったジャックはどうか。若いのだ。巨体になったのではないか？

「ジャックはおとなしくてね。一番食が細くて心配したものです。いつもリキ程度のサイズでした。若い割には、大きくなれなかった」

では、シロはどうか。検疫時の体重は二九キロ。すべての曳犬(ひきいぬ)の中で唯一の、二〇キロ台の軽量犬だった。中型犬の範疇(はんちゅう)にも入らなかったのでは？

「シロは、検疫時は二歳。カラフト犬としてこれから成長する時期です。特に、体力を消耗する先導犬にしてからは、シロの食用は旺盛になり、彼には餌を多く与えました。越冬から半年ほどで、シロはどんどん成長し、リキやデリーぐらいのサイズになっていました」

アンコが排除され、リキ、デリー、ジャック、シロが残った。この四頭の中に「第三の犬」がいるわけだ。


ここで、残る四頭の候補の絞り込みを行う前に、犬たちの生存をめぐる最大の謎に取り組むことになった。六〇年以上も十分な検証がなされないままになっている食料問題だ。北村氏は、食料問題に強くこだわった。

「この問題は、私たちが追っている第三の犬の解明につながると信じているのです」

確かに、考えてみれば、これは「タロ、ジロの奇跡」が起きて以来、最大の謎のままになっている。そもそも「第三の犬」がどの犬であれ、タロ、ジロと同様、食料なしでは生きてはいけない。それなのに、人間が残してきた干鱈（ひだら）やドッグペミカンには一切手をつけていなかった。三頭はどこかで食料を手に入れていたはずだ。

食料問題は、タロ、ジロが見つかった六〇年前に盛んに論議された。しかし、情報がなく、科学的な調査も不可能な当時の事情では、これという結論は出なかった。いくつかの説が浮かんでは消え、いくつかは「可能性」としては残ったが、十分な検証がなされたわけではなかった。「とにかく、生きていてよかった」で、うやむやになった。

長年、曖昧なままになっていた食料問題。これを追究することで、「第三の犬」の正体に迫るヒントが出てくるかもしれない。これが北村氏のこだわりの理由だった。

「タロ、ジロの奇跡」をめぐる最大の謎である食料問題は、「第三の犬」の存在が明らかになったことで、突然重大なテーマとなってきた。

食料問題の解明は慎重を要する。北村氏は二段階で検証していくことを提案した。

まず、六〇年前に取りざたされたいくつかの説を検証する。その説で三頭分の食料が確保できるという結論が得られるかどうかを判断する。昔の説では不可能とか、不十分だという検証結果が出たら、「じゃあ、三頭はどこで食料を確保したのか」という、説得力のある新説が必要だ。

私たちは、検証を開始した。タロ、ジロ、そして「第三の犬」の命をつないだ食料。それは何だったのか――。

第五章 解明（二〇一九年）

犬ゾリ探査に備えて、
南極で訓練に励む
カラフト犬たち

最大の謎、食料問題

タロとジロが南極で生きていたことに、当時の人々は仰天した。「置き去りカラフト犬、二頭が生存」の報道は、世界中に衝撃を与えた。昭和史に残るビッグニュースであり、まさに奇跡だった。

やがて、人々は不思議に思い始める。

タロとジロは、いったいどこで食料を手に入れていたのだろう?

北村氏は、食料の謎を解明することにこだわった。

「食料の謎を解くことは、『第三の犬』の特定に寄与するかもしれない」

そう言うのだ。私たちは、まず、六〇年前の諸説について、考察することにした。

第一次越冬隊が撤収する際に、鎖につないだ犬の前に置いた食料は数日分だった。すぐに第二次越冬隊が基地に入る。それまでのつなぎだから十分、という判断だった。ところが二次越冬は急きょ中止になった。昭和基地は無人化した。目の前にある数日分の食料など、犬たちはすぐに食べ尽くしただろう。

また、一次隊が撤収する際、アザラシの解体装置には、肉片の一部がまだぶら下がっていたが、それも、一年という長い期間を生き延びるには到底足りない。

鎖から逃れられなかった七頭は死亡。一頭を解剖した結果は、完全餓死だった。鎖から逃れた犬たちが直面したのは、生きていくために新たな食料を確保することだった。

いったいどこで？　どうやって？　情報皆無の中で、さまざまな推理が新聞や雑誌に発表された。

まず有力視されたのは「昭和基地に残置された人間用の食料を食べた」という説だった。人間用食料説はわかりやすく、説得力もあったため、当初はかなり支持された。しかし、第三次越冬隊が昭和基地を調査した結果、建物や通路内に残置した人間用の食料を犬たちが食べた形跡はないことが明らかになり、この説は消えた。

それでも、北村氏は一次越冬隊撤収時の人間用食料に関する記録などを集めるよう指示した。

「すでに否定されているのに、必要ですか？」

私の問いに、北村氏は当たり前のように答えた。

「わかっていても、確認はしなければなりませんよ」

北村流は、ぶれがない。集めた中で最も信頼できそうな資料は「食糧委員会への報告書・昭和基地食糧在庫調べ」だった。一次越冬隊の料理担当だった砂田正則氏が書いた本の末尾に掲載されていた。それによると、一九五八年二月一日現在、食料の在庫はアルファ米、うどん、みそ、大豆、ニンジン、ゆば、寒天、ジュース、酒など八七品目、とある。

重要なのは、これらの食料については「撤収する時に再点検し、保存に十分注意をして残置した」と明記している点だ。つまり第一次越冬隊は、海水浸入で使えなくなった天然冷凍庫にあった食品のうち、海水漬けになったものは現場に残置したが、被害を免れた食品のうち、建物や通路内でも保存可能な食品は天然冷凍庫から運び出して保管していた。もともと建物内や、屋外に保管されていた食料も含めて、二次隊が来たら確実に使えるように、しっかり収納するなり、整理するなりしたうえで、厳重に保存されていたわけだ。

永田武第三次観測隊長も、昭和基地の建物を調査した直後、内部はほとんど完全に保たれており、食料も利用できるという内容の報告を、日本の上層部に上げている。

確かに、こうした記録を確認していくと、厳重に梱包された人間用食料を犬たちが食べることは不可能だったことが確認できる。

「これで、人間の食料を食べたという説は排除できることが確認できた。問題は犬用食料。これは手強いですよ」

北村氏が言うように、こちらは謎だらけだ。

基地には、係留された犬たちの前に置いた数日分の食料とは別に、箱に入った約一か月分の干鱈（ひだら）、ミガキニシン、ドッグペミカンが置かれていた。ところが、これらの食料もまったく食べた形跡がなかった。

二次越冬隊が来たら、すぐに犬たちに餌を与えなくてはならない。犬に不慣れな隊員が餌を短時間で与えられるように、犬用食料が入った箱は開梱しておいた。つまり、犬にとっても簡単に食べられる状態になっていた。それなのに、犬たちは干鱈一匹すら食べていなかったのだ。

この点は大きな謎だ。じっくり調査していく必要がある。私たちは、先に、他の説の検証を急いだ。

複数の説

まず共食い説。

「犬同士で共食いしたのではないか」という説は、当時かなり話題になった。タロ、ジロが、つながれたまま死んだ仲間を食べたというわけだ。一次越冬隊員の中にも共食い説を採る人物もいた。

動物学では一五〇〇種を超える動物の共食いが確認されている。決して異常な行動ではない。それでも、多くの国民は、そんなことは信じたくはなかった。

幸い、第三次越冬隊に参加した北村隊員が発見したゴロたち七頭の遺体は、いずれもきれいなままだった。共食い説はあっさり排除された。

しかし、タロ、ジロが共食いしていなかったという情報は、当時大きく報道されたわけではなかった。このため、愛犬家など一部の国民は胸をなでおろしたが、一般には知られることがほとんどなかった。このため、共食い説は完全に否定されたのに、面白おかしく語られ、現在でもそう思い込んでいる人が意外にいる。猟奇的な話を信じたがる人は、いつの時代にもいるのだ。そのことが北村氏は残念でならない。

「共食いはなかった。このことを、あの時しっかり伝えなかった私たち元隊員にも責任がある。再検証を進めるにあたって、この共食い説はあらためて強く否定しておきたい」

北村氏が、すでに否定されている説でも確認は必要だと言った背景には、この思いがあったのだろう。

今の感覚からすれば、珍説も百出した。例えば、クラックで魚をすくい獲ったという説。猫が金魚鉢の金魚を狙うイメージなのだろうが、そんなことをしたら転落死してしまう。

南極に棲息するオオトウゾクカモメの卵を狙ったという説や、このカモメが落とした獲物を横取りしたなど珍説も飛び出したが、これらはさすがに、すぐに消えた。

動物学の専門家らが主張した説の中で、当時「有力ではないか」とされたのがペンギン捕獲説と、アザラシの糞を食べたという説だった。

「実はペンギン捕獲説に関しては、第一次越冬隊員の多くが違和感を持っていました。犬たちはペンギンを襲うことはあったが、食べたことはまずなかったからです。しかし当時の日本には、犬を置き去りにしてきた一次越冬隊に反論を許すような空気はまったくなかった」

北村氏は、第一次越冬時の犬がペンギンにどう接していたかを説明し始めた。

「風連（フーレン）のクマや比布（ピップ）のクマのような攻撃的な犬たちは、南極に着いた直後からペンギンを襲いました。一度か二度、風連のクマらがペンギンを食べた。でも、すぐに吐き出した。以後、食べることはありませんでした」

第三次越冬隊が基地に入った一九五九年に、北村氏は昭和基地近くで数羽のペンギンの死体を発見した。第一次越冬隊が撤収する前、そんなところにペンギンの死体はなかった。タロ、ジロか、逃げ出した他の犬が殺したのだろう。ただし食べられた形跡はなかった。また北村氏は、三次越冬中にタロ、ジロがペンギンを襲うシーンを目撃した。一次越冬では二頭がペンギンを襲ったことはなかったので驚いた。しかし、やはり食べはしなかった。

そのことをもって、置き去りにされていた間、タロ、ジロが絶対にペンギンは食べなかったという証明にはならない。雪の下には、タロ、ジロが食べたペンギンの死体が埋まっているかもしれない。しかし一次越冬時のカラフト犬たちは、ペンギンは殺すだけで食べなかった。

一方、犬用食料は奪い合うようにしながら喜んで食べた。基地内には大量の犬用食料が、すぐ食べられるようにして残置されていた。

この状況からいえば、犬たちは腹が減ったら、まず目の前にある犬用食料を食べるはずだ。犬用食料に一切手をつけず、ペンギンをわざわざ襲って食べると考えるのは、無理がありすぎる。

第三次越冬隊が基地に犬用食料が完全に残っていることを確認した時点で、ペンギン捕獲説は事実上消えた。

アザラシの糞食説はどうだろう。

私たちは、前段として、カラフト犬がアザラシを捕獲できるかどうかについて考察した。

これまでに集めた資料や環境省の公式サイトによると、現在の南極圏には、ヒョウアザラシ、ウェッデルアザラシ、カニクイアザラシ、ロスアザラシ、ミナミゾウアザラシの五種が生息している。

「昭和基地付近で見かけることがあったのはウェッデルアザラシでした。もっとも、基地周辺にいるのは一〇月から翌年三月あたりまで。あとはいなくなる」

北村氏が指摘したウェッデルアザラシは、かなりの巨体だ。オスはおおむね体長が二・五メートルから二・九メートル。体重は四〇〇キロから五〇〇キロもある。

体重数十キロ、体長七〇センチ前後のカラフト犬が数頭で狩りをしようとしても、仕留めるのは無理だ。実際、一次越冬中に風連のクマなどどう猛なベテラン犬たちが何度かアザラシを狩ろうとしたが、いつも失敗した。戦い方をよく知っているベテラン犬でも不可能なのだ。経験が浅いタロ、ジロだけでアザラシを狩ることはできないだろう。

そこで登場したのが、アザラシの糞食説だった。

「アザラシをタロ、ジロが仕留めるのは不可能だとしても、襲撃すれば、驚いたアザラシが脱糞するかもしれない。その中には、未消化のオキアミやエビなどが含まれているだろう。それを食べたのではないか」という説だ。

北村氏に見解を求めた。

「犬たちがアザラシの糞を食べたのは、一次越冬中に目撃しました。びっくりしました。だって、糞ですよ」

「美味しいんですかねえ」

あまり想像したくないシーンだ。

「糞なんか食べて、臭くないのか。私もそう思いました。しかし考えてみたら、解体したアザラシの肉はもっと臭かった。それを犬たちは喜んで食べていた。彼らにとって、糞を食べるのは、どうということはなかったんでしょう」

だが、北村氏は、アザラシの糞を得るには危険を冒さなくてはならないときもあると言う。

「犬が接近すると、アザラシは氷の穴に飛び込んで水中に逃げる。それを追いかけて、誤って氷の穴に落ちたら、そこは冷たい海です。犬はあっという間に死んでしまう」

確かに、そういうリスクを冒してまで糞を得るよりも、基地で犬用食料を食べる方が安全だ。
「しかも、三次越冬時には、アザラシの糞を食べた形跡はほとんど見つからなかった。さらに問題があります。基地周辺にいたアザラシたちは、冬の間は基地から一〇〇キロ以上も離れたリュツォ・ホルム湾の奥深くまで行ってしまう。方向感覚に問題がある若いタロ、ジロでは、そこまで行ってアザラシの糞を食べ、間違いなく基地に戻って来られる可能性は低い。私はそう考えています」

ここまで考察してくると、ペンギン捕獲説は事実上消え、アザラシの糞食説もあまり現実的ではないように思える。

しかし、タロ、ジロのそばには「第三の犬」がいたのだ。三頭ならばどうだろう。

まずペンギン捕獲説については、ペンギンの死体はあったが食べた形跡がなかった。これは重要な物証だ。第三の犬にとっても、食料としてのペンギンはあまり魅力的ではなかったのだろう。これは排除できる。

アザラシの糞はどうか。アザラシがいる近辺には氷の割れ目や穴がある可能性が高い。危険な場所だ。その点は「第三の犬」が一緒であっても同じである。「第三の犬」がどの犬であるにせよ、タロ、ジロよりは一歳から五歳も年長だ。犬の年齢差は大きい。年を重ねるほどに、相手の力量を見極めたり、危険を察知する能力を磨く。タロ、ジロよりも経験豊富なベテラン犬であれば、タロ、ジロがそういう危険なエリアに行こうとすれば、「行くな」と警告を発したのではないか。海に落ちたら終わりなのだ。

六〇年前にはインターネットもライブカメラもない。現代よりはるかに情報が乏しい状況で、南極を体験したことがない動物行動学の専門家たちが必死に考えたペンギン捕獲説、アザラシの糞食説を、第三次越冬隊が確認した事実や、現在の豊富な知識や情報をもとにして否定したいわけではない。「当時の学者たちが真剣に考察した努力は、きちんと評価するべきです。科学は間違いや失敗の繰り返しなのですから」と北村氏は言う。

そのうえで、ひょっとしたらまだ世間に残っているかもしれないペンギン捕食説や、アザラシの糞説についても、この際、明確に排除しておきたいというのが、北村氏の気持ちだった。

では、いったい何を食べていたのか？

基地内にあった人間の食料も、犬用食料も一切食べていない。ペンギンを殺した形跡はあるが、食べてはいない。アザラシの糞を求めるには危険が大きすぎるし、第三次越冬時に、そうした痕跡はほとんどなかった。

三つの食料基地

「先生。そうすると、三頭はいったいどこで食料を確保していたんですかね？」

七月になった。

福岡市は、一日から一五日まで、博多祇園山笠一色となる。市内にある櫛田神社の奉納神事で、今や福岡の夏最大の風物詩になっている。山笠とは高さ約三メートル、重さ約一トンもある神輿のような祭具で、博多っ子は「山」と呼ぶ。これを男たちが肩に担いで市内を疾走する。この時期、テレビでは過去の山笠の映像を毎日のように流している。

七月の福岡は暑い。気温が毎日三〇度を超える中で、北村氏の健康が心配だった。しかし北村氏は以前よりも元気が出てきたくらいだった。検証作業が重要な局面になってきたことが、良い形で緊張感をもたらしているのかもしれない。

私たちは、食料問題に絞って、越冬日誌などの資料を再読し、第一次越冬開始からの北村氏の記憶を総ざらいした。

犬たちの食料問題には直接つながらないようなことまで含め、念入りにチェックした。しかし糸口が見つからないまま、日々が過ぎた。知らぬ間に、私の脳は迷路に入っていた。知らぬ間に、北村氏の脳はフル回転していた。

ある日、北村氏が次回の取材日を指定した。

「三日後。来られますか?」

――もちろん。

彼が期日を指定する時は、必ず何らかの進展があった。私は期待した。

三日後、私は約束の時間から大幅に遅れてしまった。午後四時を回っていた。山笠の人出で福岡市内に大渋滞が発生したためだった。

「遅れてすみません」

謝りながらドアを開けると、北村氏はデスクに向かっていた。目の前には、食料に関して北村氏が証言した部分のプリントがあった。

いつもは軽い話題から始まる。この日は、いきなり結論が来た。

「わかりましたよ。犬たちが何を食べていたのか」

私は拍子抜けした。そんなに簡単に結論が？

たとえば、アルキメデスが、水が湯船からあふれるのを見てアルキメデスの原理のヒントを得た故事とか。リンゴが落ちるのを見たニュートンが重力に関する最初のひらめきを得たといった逸話とか。「第三の犬」の謎に迫る可能性がある食料問題を解明する答え。その瞬間には、天啓のようなものが北村氏に降りてくる。なんとなく、そんなふう思っていた。過去によくある作り話のような感じで。しかし、やはり現実は、結構地味なものだ。映画やドラマとは違う。

犬たちは何を食べていたのか。私は北村氏の説明を記録するために、パソコンを開いた。この日の北村氏は快調だった。口調は明確で、内容も理路整然としていた。「三日後」という指定は、この間に自分の考察を練り上げるのに必要な時間だったのだろう。

「犬の食料基地が、三つあったんです」

一次越冬隊の犬係は、驚くようなことをあっさり言った。

「第一の食料基地。犬たちにとって、これが最も重要だった。天然冷凍庫です」

――天然冷凍庫？

それは、まったく予想もしなかった場所だ。しかし、待てよ。そこは、海水で食料がだめになった場所ではなかったか？

天然冷凍庫は、基地からやや離れた海氷域に作られた。北村氏の記憶では基地の東方だったはずだ。基地のそばにあった方が便利なのだが、雪を掘ってみると、すぐに岩盤に届いてしまった。底部の温度を測ると地表とさして変わらない。これでは天然冷凍庫として使えない。仕方なく、基地からやや離れた海氷域に作った。そのために、海水が浸入したのだった。

肉類が海水に浸かってしまった。だから、隊員たちは海水を汲み上げながら、被害を免れた食品を運び出した。だから、そこに残置されたのは、海水漬けの肉だけだったはずだ。そこが犬たちの食料庫？　私はパソコンから天然の冷凍庫に関する証言部分を呼び出した。

【北村氏の証言】

第一次越冬が始まってまだ間もない一九五七年五月。料理担当の砂田隊員が血相を変えて食堂に飛び込んできた。

「隊長、冷凍食がだめになっています」

それは、腰を抜かすほどの大事件だった。南極では食料の補給はできない。運び込んだ食料以外に食べ物はない。越冬隊にとっては極めて深刻な事件。それが天然冷凍庫の海水浸入事件だった。

第一次越冬隊には、電気冷凍庫が備品としてあったはずなのだが、他の機材が足りなかったのか、何らかの手違いがあったのか、結局使用できなかった。そこで、野営の天才、西堀栄三郎第一次越冬隊長が考案したのが、自然を生かした天然冷凍庫だった。

雪氷を二・五メートルほど掘り、一番奥深くに、重要な食料である肉類の冷凍製品が大量に保管された。毎日、越冬隊の全員が豪華な肉料理を楽しめるだけの分量があった。

ところが、いつのまにか天然冷凍庫の底に海水がしみ込んでいた。私も、他の隊員たちも愕然とした。食料がないとなれば、それは死を意味する。

海水にやられたのは下部にあった肉類だった。私たちは、濡れているすべての梱包を開き、中の肉の状態を調べた。海水はかなり浸入していた。

少しでも被害を少なくしなければならない。私たちは空き箱や缶詰の空き缶を使って、必死に海水を汲み上げた。他の食品が濡れないように気をつけながら。

そうしているうちに、私たちの衣類は海水でびしょ濡れになった。猛烈に寒くなった。

私たちはできるだけ作業を急いだ。被害を免れた食品は天然冷凍庫から出した。海水に浸かった肉類はその場に放置した。

海水にやられた肉は臭いがひどかった。だが腐っているわけではないので、料理担当の砂田隊員は料理して隊員に提供した。

しかし、やはり臭いがきつく、隊員たちはほとんど残した。この肉を犬たちに与えたところ、喜んで食べたので驚いた。

考えてみれば、犬たちは、海水浸しになった肉よりも強烈な臭いを発する肉を、好んで食べていた。アザラシの肉だ。人間が捕獲して、アンコウの解体のようにアザラシを吊るし上げる。肉をこそぎ切る。この作業だけでも猛烈に臭い。だが、犬たちはアザラシの生肉をがつがつ食べた。


「つまり、海水漬けになった天然冷凍庫の肉は、人間が食べるのは無理があるが、犬にとっては大変なご馳走だった、というわけですね」

「はい。人間の失敗が、一転して三頭を救うことになったのです」

第一の食料庫

しかし、私はこの説には疑問を持った。

――犬では天然冷凍庫の中には、入れないだろう。入り口にはカギがかかっていただろうし。

「先生。天然冷凍庫説は面白いですよ。しかし犬では入り口のカギを開けることができないんじゃないですか？」

私がぶつけた疑問に、北村氏は珍しく声を上げて笑った。

「カギなど、はじめっからないよ。ブリザードが吹き荒れ、零下数十度にもなる南極で、カギなんかかけたら凍結して開錠できなくなる。そもそも、孤絶した南極でいったい誰が泥棒に入るというのかね」

確かに。だが、カギはなくても、天然冷凍庫の入り口には扉ぐらいあっただろう。犬が開けられるだろうか。

「付け加えると、天然冷凍庫に扉はないよ。私は、そう話したはずです。雪氷でふたをしていたと」

私の疑念を見透かしたように、北村氏は言った。

そうだったか？　証言内容をチェックした。確かに、そのとおりだった。盗まれる恐れがないのだから、厳重な扉も必要ないわけだ。南極、まさに常識が通用しない極地。

「天然冷凍庫の入り口は、そのあたりにある雪をかき集めて、簡単なふたをしただけ。雪を崩して食品を取り出し、また雪でふたをする。そんな雪の扉なんか、カラフト犬の強力な前足で掘れば、簡単に崩せます」

しかし、もう一つ疑問がある。海水漬けの肉が天然冷凍庫の中にあることを、犬たちはどうやって知ったのだろう。

いや待て。確か、それにつながる証言もあった気がする。先ほどの証言の部分を、スクロールした。あった。

【北村氏の証言】

そういえば、天然冷凍庫事件では、私たちがうろたえている姿を、周りにいた犬たちがじっと眺めていた記憶がある。誰だったか『犬はのんきでいいな』と愚痴をこぼしていた。

この証言部分には、強く惹かれるものがあった。

何頭かの犬が、隊員たちが大騒ぎしているのを観察していた。

そのうちの一頭が「第三の犬」だったのか。

天然冷凍庫は、その当時の犬の係留地からはある程度離れていた。それなのに、近くに犬がいたのは理由がある。食料を緊急移動させるために犬ゾリが必要だったので、小さいソリと数頭の犬を連れてきていたからだ。

　これによって、「第三の犬」は、天然冷凍庫にはうまい肉がたくさんあることを察知した。基地が無人となった後、「第三の犬」は天然冷凍庫の中に入り、タロ、ジロとともに、たらふく肉を食べた。だからこそ、三頭は昭和基地を動かなかったのだ。

　干鱈、ミガキニシン、ドッグペミカン。そんなもの、食べる気にはならない。基地に大量に残してきた犬用食料が食べられていなかった謎も、これで解ける。

　――それにしても、天然冷凍庫か。

「すごいですね。先生」

　私は心からそう思った。これは、現場にいた人間しかひらめかない視点だ。

　北村氏は、超高層地球物理学の難解な数式を解いたような、自信に満ちた笑みを浮かべていた。そして言った。

「数日前からね、どんどん記憶がよみがえってきたんです。この天然冷凍庫に気づいた時は、久しぶりに興奮しました。するとね、不思議なことに、第二、第三の食料庫まですぐに思いついたんです。ただ、自分なりに検討して納得するだけの時間が必要だった」

　だから三日の余裕が欲しかったのか。

「でね、第二の食料庫は……」

　その時、個室のドアがノックされ、スタッフの女性が声をかけた。

「北村さん。夕ご飯の時間ですよ」

もう、そんな時間になっていたのか。大幅に遅刻したのが悔やまれた。残念だが、今日はここまでだ。だが、私には不安があった。

――次に来た時は、第二、第三の食料庫のことを忘れているのでは……。

北村氏の人間観察力は鋭い。

「次に会う時は、忘れているかもしれないですねえ」

そして指示した。

「じゃあ、これだけメモしておいてください。デポとクジラ」

――デポとクジラ？

「そのメモがあったら、もし忘れていても思い出しますから」

不安はあったが、再訪する約束をして、辞去した。

第二、第三の食料庫

――覚えていてくれますように。デポとクジラ。

約束の再訪日、私は祈るような気持ちで北村氏を訪ねた。

ドアを開けると、北村氏は机に向かっていた。先日と同じように、スタンドの照明をつけ、机上の文書を見つめている。そばによって見ると、文書はボツンヌーテンの犬ゾリ探査について証言した部分だった。食料とは関係なさそうだが。

「先生。早速ですが……」

「心配だったんでしょ？　実は私も心配だったんです。忘れそうで。でも、毎日この文書を見ていましたから大丈夫。覚えています」

北村氏は心優しい人だ。こちらの心配までしてくれる。

「まず、デポです」

デポというのは、登山などの行動計画に合わせて、物資や食料をルート上のいくつかの地点に残置しておく場所のことだ。

「そこが三頭の第二の食料基地だった。そして、クジラが第三の食料基地だったんですよ」

私には、まったく話が見えない。北村氏の説明によると、問題のデポは一九五七年一〇月、ボツンヌーテン犬ゾリ探査の時に作ったものだという。

ボツンヌーテン探査は一カ月近いロング探査だったので、危険回避のため食料は多めにソリに積んで出発した。不測の事態で予定が大幅に遅れた場合、食料が命綱になる。しかし探査は想定以上に順調だった。こうなると、多すぎる食料は逆にマイナス要素になってしまう。食料が多いほど重量はかさみ、犬への負担が大きいままだからだ。

そこで食料の一部をソリから降ろして、予定にはなかった臨時のデポを作った。ソリの荷重が軽くなれば犬の負担は軽減され、疲労もその分抑えられる。ボツンヌーテンに到達し、そこからの帰途、もし食料が必要になったら、このデポに残置した食料を再びソリに積む。合理的な作戦だった。食料計算担当は北村氏だったので、どの食料をどれくらいソリから降ろしても大丈夫かという計算は難しいことではなかった。何度も検算して、かなりの食料を残置したという。

旅行中の食料はカロリーが高いものが多い。少量で体力を維持する必要があるからだ。つまり犬にとっても非常に高カロリーで、よい食べ物と言える。しかも、本来頑丈に梱包されている食料は、基地を出発する前に、一度すべて解体した。可能な限り軽くするためだ。木箱やがっちりした包装を全部なくせば、かなり軽量化できる。たとえば、缶詰は中身だけ取り出して、缶は基地に置いてきた。中身は凍っているので問題はない。つまり、通常なら犬では手の出しようがない缶詰の肉ですら、容易に食べられる状態になっていたわけだ。

置き去りにされた後、「第三の犬」とタロ、ジロは、基地の天然冷凍庫にある海水漬け肉を好きなだけ食べられた。しかし、犬だってたまには別のものを食べたくなるだろう。「第三の犬」は、このデポにタロ、ジロを連れてきたのではないかと北村氏は推理する。デポにあるのはコンビーフ、ボイルドチキン、豚ロース、乾燥ベーコン、乾燥ソーセージ、メカジキマグロ、塩ジャケ、大正えび、マグロのフレーク油漬け。いつもの海水漬け肉とは違う食料が山ほどある。

では、「第三の犬」はなぜ、ここに食料デポがあることを知っていたのか。

北村氏の説明によると、デポを作っている間、犬たちはソリにつながれたまま座ったり寝転んだりして休んでいた。犬たちは、食料を降ろす作業をしている北村氏や菊池隊員、中野隊員の動きを目で追っていた。缶詰の肉は紙で包んだだけだったし、他の肉やソーセージ類も簡易的に包装しただけなので、嗅覚が鋭い犬たちは気づいたのだろう。ひょっとしたらもらえるのかと期待した犬もいたかもしれない。

ベテランの犬であれば、この食料の宝庫を忘れるはずはない。ボツンヌーテン犬ゾリ探査の時に作ったデポこそ、「第三の犬」、タロ、ジロにとって、重要な第二の食料基地になったのだ。

では、クジラとは何か。北村氏は説明を続けた。

ボツンヌーテンの初登頂を果たした犬ゾリ隊は、順調に帰路をたどっていた。その途中で、小屋のような不思議な物を発見した。

もちろん、そんなところに小屋などあるはずがない。近寄ると、それは巨大なクジラの遺骸だった。巨大なあばら骨が建物の柱のように見えたのだ。屋根や壁のように見えたのはクジラの皮だった。皮には脂肪分や肉がこびりついていた。

その時は、この巨大な生物が腐りもせず、なだらかに風化してそびえている自然の不思議さを思い、「クジラ岬」と命名してその場を離れた。

クジラの残骸とわかるまでは、正体不明で不安もあったので、用心のため何頭かの犬をソリから外し、一緒に連れていった。犬たちは、しきりにクジラの遺骸を嗅ぎまわっていた。干し肉のようになった物体は食い物だとわかったのだろう。「第三の犬」も、その数頭の中にいた可能性がある。もしその場にいなかったとしても、クジラの残骸が遠くから見え始めた頃から、すべての犬が激しく反応し、吠えていた。「第三の犬」もクジラの存在は記憶にとどめたはずだ。

こうして、クジラの残骸は、「第三の犬」とタロ、ジロにとっての第三の食料基地になった。これらの内容は、検証を再開した時、北村氏が証言した中に確かに含まれていた。それが犬の食料基地に結びつくとは、その時は思いもしなかった。

今日の北村氏の説明は、これまでで一番明瞭で、わかりやすかった。しかも、極めて重要な内容だった。

昭和基地にある天然の冷凍庫。ボツンヌーテン探査時に作った食料デポ。そしてクジラの残骸。この三つが、「第三の犬」、タロ、ジロに、十分すぎる食料をもたらした。だから、基地にある干鱈やドッグペミカンなど目もくれなかった。まずいペンギンを襲って食べる必要など、まったくなかった。アザラシの糞を求めて危険を冒す必要もなかった。

これまでの謎が一気に氷解した思いだった。

「どうですか。これが、食料に関する『北村説』なんですが。何か質問は?」

大学で講義をしているような感じで、北村氏は私に笑いかけた。

あまりに理路整然とした説明に、私は思わず全面的に受け入れそうになった。

だが、待て。大きな疑問がある。これはクリアしなければならない。方向と距離の問題だ。

昭和基地から、デポやクジラの残骸までは一〇〇キロ以上はある。

犬ゾリは人間の指示で動く。前進。右回り。左回り。停止。いわば、人間は犬ゾリのパイロットだ。位置を測定し、走行距離計を確認して現在位置をチェックしながら進む。一面同じ風景に見える南極の雪原で、正確に目標地点に到達し、基地に戻って来られるのは、人間の技術力と科学知識のおかげだ。

もちろん先導犬の方向感覚は優れており、非常に重要だ。しかし、その才能を生かすも殺すも、人間次第。「ボツンヌーテンに向かって走れ」と命令して、犬たちが走るわけではない。人間が操るからこそ、犬たちは目的地に到達できる。

無人と化した昭和基地から、第二、第三の食料基地へ。「第三の犬」、タロ、ジロは自力で行くしかない。方向を教えてくれる人間はいないのだ。はたして一〇〇キロも離れた食料デポやクジラの残骸まで、三頭は正確にたどり着けるのだろうか？

私は疑問をぶつけた。

「先生。人間がコントロールするから犬ゾリは目的地に行けるわけですよね。犬たちだけでは、無理なのではないですか？」

「確かに。これまでもお話ししましたが、犬の方向感覚は優れているが、個体差があります。タロ、ジロは若く、経験も浅かった。方向感覚は心もとないレベルだった。犬ゾリ隊の中では二軍扱いでしたからね」

「そうすると、タロとジロだけで、第二、第三の食料基地に行くことは……」

「不可能だったと思います。逆に言えば、未熟なタロとジロを率いて、そんな大遠征ができる犬は、ベテラン犬の中でも抜きんでた方向感覚を持っていたはずです」

「つまり『第三の犬』を絞り込むにあたっては、方向感覚の鋭さがポイントだと」

「はい。優れた方向感覚を持っていること。これは絶対不可欠の要素です」

――なるほど。卓越した方向感覚を持つ犬であれば、人間なしでも目的地にたどり着くことはできるかもしれない。

「それだけでは足りません。あと二つ。欠かせないことがあります。わかりますか？」

北村氏が私に問う。何だろう。体力？　嗅覚かな？

北村氏は静かな笑みを浮かべた。

「まあ、それも必要ですけどね。重要なのは、強い保護本能と、リーダーシップなんですよ」

どういうことだろう。

「いいですか。一〇〇キロの氷原は、クレバスやクラックなど危険な場所があるかもしれない。無事に走り抜けるには、判断力が十分ではない幼い二頭を擁護しながら、安全に移動する保護本能が欠かせないのです。何としても二頭を守るという気持ちですね。また、二頭が自分の指示に従うよう統率する力量も求められます。保護本能と、二頭を目的地へと導くリーダーシップ。この二つが必要なのです」

確かに。「第三の犬」は、単に方向感覚が優れているだけでなく、二頭を保護し、導き、統率する能力があるはずだ。

――保護本能とリーダーシップか。

この点について考察を深めていけば、タロ、ジロがなぜ、他の逃げた犬たちについていかなかったのか、というもう一つの謎の解明にもつながってくるかもしれない。

首輪を抜けることができた犬たちは基地を逃げ出したのに、タロとジロだけは基地に残った。これについては、当時から「犬は帰家本能がある。幼い頃に南極に来たタロ、ジロにとっては、昭和基地こそが郷里だったのだろう。だから動かなかった」という説が有力だった。

しかし異論もあった。未熟な二頭だけで基地に残るより、経験豊富な犬と行動をともにした方が生存率は高まるだろう。シマウマ、インパラ、水牛。多くの野生動物が群れて行動をともにするのは、種の生存率を高めるのが一つの目的だ。生き延びるという本能よりも、郷里＝基地に残るという帰家本能が勝ると言い切れるのか？　という反論だった。確かに、そこは微妙だ。

しかし、実は二頭のそばには、食料のありかを把握し、保護本能とリーダーシップにあふれるベテラン犬が残っていたとしたら。それならば、若い二頭は安心したはずだ。

確かに帰家本能もあっただろう。しかしそれ以上に、頼りになる「第三の犬」が基地に残ったからこそ、タロ、ジロも基地を離れようとしなかった。このロジックは成り立ちそうだ。

タロ、ジロの奇跡が起きた時、世界中が驚いた。

「南極に置き去りにされた幼い兄弟犬が、力を合わせて生き抜いた」——。

それは、人々が受け容れたくなる、美しい物語だった。だからこそ人々は喜び、涙した。六〇年もの間、誰も疑わず、信じられてきた美談。

だが実際には、昭和基地にはタロとジロを守った「第三の犬」が一緒にいた。

その犬は、生きていくうえで最も重要な食料の在りかを知っていた。

その犬は、卓越した方向感覚を持ち、一〇〇キロ以上離れた食料の在りかまで迷わず到達し、間違えることなく昭和基地に戻る能力があった。

そのことが、タロとジロに十分な食料をもたらし、兄弟の命をつないだ。

世紀の奇跡を生んだのは、タロ、ジロ二頭の頑張りだけではなかった。もちろん若い犬にしては優れた能力と強い生命力があったが、それだけで極寒の南極を生き抜くことは難しかったに違いない。保護本能が強く、リーダーシップに秀でた「第三の犬」が幼い二頭を救い、導いたからこそ、奇跡が生まれた。タロ、ジロを生き延びさせた。

こうして食料問題を解決する過程で「保護本能が強く、リーダーシップに秀でた犬」という「第三の犬」の姿が次第に浮かび上がってきた。

体毛と体格という判定フィルターを潜り抜け、「第三の犬」候補として残っているのは、シロ、リキ、デリー、ジャック。四頭だ。

この中で、保護本能とリーダーシップを兼ね備えた「第三の犬」という像に最もふさわしいのは、はたしてどの犬か？

保護本能とリーダーシップ

食料問題の謎を解いていく過程で浮上した、二つのキーワード「保護本能とリーダーシップ」。この観点から「第三の犬」を絞り込んでいくことにした。

しかし何百ページにもおよぶ南極観測の公式記録に、犬の保護本能とリーダーシップに関する記載など、あるわけがない。それを知り、語れるのはただ一人。第一次越冬隊犬係であり、第一次越冬隊唯一の生き残り隊員である北村氏だ。

意外と言うべきなのか、保護本能とリーダーシップに関するエピソードは、北村氏の証言の中にかなりあった。

【北村氏の証言】

一九五六年。北海道稚内市の樺太犬訓練所。いきなり全道から集められたカラフト犬たちは、気が立っていた。自分のテリトリーや飼い主から引き離され、見知らぬ犬が何十頭もいる見知らぬ場所に連れてこられたのだ。どの犬もストレスがたまる。

「誰がナンバーワンなんだ？」

喧嘩が毎日のように起きた。当事者ではない犬たちは、知らぬ顔だ。

しかしただ一頭、意外な行動をする犬がいた。

彼も、上下関係を決めるための喧嘩には、見向きもしなかった。

しかし、どう猛な犬が、体格が劣る犬や幼い犬、高齢の犬を必要以上に攻撃すると、必ず割って入った。

彼自身は決して喧嘩に強かったわけではない。仲裁に入ったせいで、自分自身が傷を負うこともあった。ただ、相手が引き下がるまで、闘志を失うことはなかった。

カラフト犬に詳しい調教師、後藤直太郎氏ですら驚いた。

「この犬はすごいリーダーになる。リーダーには仲間を守る気概が必要。この犬はそれを持っている」

仲間を守る。それは彼の強い保護本能の発揮だろう。顕著な例がタロ、ジロへの接し方だった。

訓練所に来た時のタロ、ジロはまだ子犬だった。どう猛な成犬にやられないように、係員たちも気をつけていた。

だが、その必要はなくなった。タロ、ジロのそばには必ず彼がいたからだ。

タロ、ジロも、本能的に彼が保護者だと感じたのだろう。そばを離れなかった。タロ、ジロが標的にされることはなかった。

私が訓練所に行ったのは訓練所開設から数カ月後だったので、こうした話は後藤調教師や、北大の極地研に所属する学生たちから聞いたものだ。

タロ、ジロを守るような行動は南極でも続いた。

ソリ犬たちは建物の外に係留され、食事を与えられる。犬たちの食欲は半端ではない。隣の犬の分まで食べようとする。幼いタロ、ジロは常に狙われた。しかし彼は、たまたまタロ、ジロとは数十メートル離れた位置に係留されていたために、そのことに気づかなかった。

状況が一変したのは、カエル島犬ゾリ探査の時だった。ある犬が、いつものようにタロ、ジロの餌を横取りしようとした。しかし、その場には彼がいた。全頭が犬ゾリにつながれたままだったので、犬たちはひとかたまりになっていたのだ。

タロ、ジロの餌を奪おうとした犬に、彼は猛然と吠えかかった。両耳を水平にし、鼻面にしわを寄せ、ものすごい形相で威嚇した。

私も初めて見る、恐ろしい顔だった。

餌を奪おうとした犬はどう猛な性格だったが、彼の怒りのすさまじさに驚いたのか、くるりと方向を変えて座り込んだ。

彼は、タロとジロが食べ終わるまで、周りを睨みつけていた。

「まるで父親みたいですね」と、菊池隊員と話したのを覚えている。


犬係だった北村氏のこうした証言は具体性がある。現場にいた者にしかわからない説得力のあるエピソードだ。

しかし疑問もあった。母親ならわかる。母性本能があるから産んだ子は必死に守るだろう。しかし、父親ですらないオス犬が、なぜ子犬の面倒を見るのか。

「当時から、それは不思議だと思っていたんです」

北村氏も理由を知りたいと言い、私は指示に沿って必要な資料を集めた。

動物行動学に関する資料を読み解くと、彼のような行動を取るオス犬は、決して「父親代わり」を演じているわけではない、という説が結構あることがわかった。

可哀そうだから子犬を守るのではない。若い犬を守ることで群れの勢力を維持する。新陳代謝を図る。そういう大きな視点で行動しているのだという。

例えば象のリーダーは、群れに危険が迫ると大人の象を指揮して円陣を組み、その中に子象を入れて守る。群れ全体の生きる可能性を高めるには、仲間を減らしてはならない。子象はいずれ戦士になる。あるいは次の世代を産み落とす。

彼も、そうした本能と才覚を持っていた。「父親代わり」ではなく、リーダーとしての。そうであるなら、それは継承されなければならない。群れを維持するために。

リーダーに守られて育った子犬は、成犬になったら、新たな子犬たちを守る側になるものだろうか。

「タロとジロが、まさしくそうだったんです」

北村氏は第三次越冬時に体験したことを語った。

北村氏によると、三次越冬隊は日本から子犬を三頭連れてきていた。アク、トチ、ミヤ。まだ生後三カ月だった。一次越冬隊がソリ犬一五頭を置き去りにしたことで、犬ゾリ用のカラフト犬を再び南極に送り込むことについては、国民の強い反発が予想された。三頭は、あくまで越冬隊員の気持ちを癒やすペットという位置づけだった。

ところが思いがけないことに、タロとジロが生きていたことで、新たな問題が出てきた。

戦闘力などゼロに等しい子犬たち。一方、一年間の越冬、一年間の残置という苦難を乗り越え、たくましいカラフト犬になったタロとジロ。この五頭を一緒にしても大丈夫だろうか、という懸念だった。

第三次越冬隊に参加した北村氏が、タロとジロとのいわゆる「奇跡の再会」をした時、二頭は喜び勇んで北村氏のもとに駆け寄ったわけではなかった。当時の報道とは真逆だった。二頭は警戒し、頭を低く下げ、うなり声をあげて北村氏を威嚇した。

一年間も放置されたのだ。無理もない。その後タロ、ジロは北村氏にだけは心を開いたが、他の隊員にはなかなか警戒心を解かなかった。そんなタロ、ジロだ。新参者の子犬に敵意を抱くのではないか。攻撃されたら子犬たちはひとたまりもない。

「事故が起きる前に、安全を図るべきだろう」

「子犬は建物内に、タロとジロは外に係留して、隔離するべきだ」

ところが隊員たちの心配は杞憂だった。タロとジロは、むしろ積極的に子犬を保護した。

ジロは一日のほとんど、子犬たちのそばにいた。子犬の行動を見守り、子犬たちが危険な海氷域に行こうとすると、「ワン」とひと吠えして制止した。時には子犬三頭を連れて回り、自分が雪の下に隠しておいた餌を掘り出して、子犬たちに与えた。

タロは、そうした四頭から少し離れた小高い場所で周囲を見渡していた。まるで、子犬に危害を加える者がやって来ないか、警戒しているように。

「第三次越冬の時は、『放置された一年間が寂しかったんだろうな』と思い、彼らが子犬の面倒をみている意味を、深く考えなかった」

そう述懐する北村氏は、今回の検証の終盤に至って、この点を考察することが重要だと感じていた。

タロとジロは、「第三の犬」に食料の在りかを教えられた。遠い場所に移動するノウハウを叩き込まれた。南極で生き延びるすべを教え込まれた。

「第三の犬」に保護されてきた経験が、三頭の子犬に出会った時、タロとジロの保護本能のスイッチを入れたのではないか。今度は自分たちが彼の立場になり、三頭の子犬を含めた五頭で群れを作り、子犬たちを守り、群れを維持するのだという意思が生まれた。群れる意識のバトンタッチだ。北村氏の、この視点は新鮮だった。

「第三の犬」が第一次越冬中に南極で守ったのは、タロ、ジロだけではなかった。弱く風采の上がらないアカ、おとなしいクロやペス、老犬テツ。彼らはどう猛な犬たちの標的になりがちだった。そんな時に立ちふさがったのは、いつも彼だった。

群れを作り、群れを守り、群れを強くする。保護本能に突き動かされ、優れたリーダーシップを発揮した「第三の犬」。

北村氏は、自分自身が証言した内容を考察しながら、最後の検証に入った。

残った候補は……

これまでの検証から、「第三の犬」として残った候補犬は、デリー、ジャック、シロ、リキ。この四頭。

デリーはカラフト犬とシェパードとのミックス犬だ。シェパードは忠誠心が強く従順。警察犬として活躍する犬も多い。しかしそれは幼年期から正しい訓練を受けた場合だ。しつけができていないと攻撃的な犬になってしまいかねない。

デリーはそうした訓練を受けなかったのだろうか。攻撃的で、売られた喧嘩は必ず買うタイプだった。タロ、ジロはデリーを怖がり、近づかなかった。デリーはタロ、ジロにまったく興味を示さなかった。面倒をみるような保護的な動きをしたことはなかった。

一方で、体力がなく、ソリを曳くと真っ先にダウンした。ソリを曳く時、犬たちは互いの状態を常に感じている。全体がまとまって動かないと、バランスが崩れて危険だからだ。

ソリを曳く時、デリーは仲間から信頼されず、頼りにもされていなかった。体力の問題であり、さぼり癖があるわけではなかった。多頭編成の犬ゾリの一員としては適性がなかったのに、南極に連れてきた人間が悪い。

保護本能に欠け、仲間に信頼されなかった彼には、残念ながらリーダーシップもなかった。

ジャックは臆病な性格だった。カエル島からの帰途、基地まであと一〇キロの地点で、菊池徹隊員がすべての犬を放した。基地はすぐ近くに見えている。どの犬も安心しきって、勝手気ままに雪原を飛び跳ねた。隊員たちが乗った雪上車は基地に向かったが、犬たちの姿はどんどん遠ざかった。つかの間の自由を楽しみたいのだ。

ところがジャックは雪上車から離されまいと、必死に走ってついてきた。置き去りにされたような気持ちになり、怖かったのだろう。

越冬中、隊員が行動を制止するために鞭（むち）を振り上げると、鞭を見ただけでキャンキャン鳴きわめきながら逃げ回った。鞭を恐れた。おそらく人間も恐れた。

おとなしい性格だったから扱いやすかったが、あまりに依頼心が強すぎた。保護本能など見せたことはなく、リーダーシップも皆無だった。タロとジロを保護し、小さな群れに君臨するタイプではない。むしろ、喧嘩が強い風連のクマやデリーの庇護を求めて、追随した可能性の方が高い。

「第三の犬」の必要条件である強い保護本能とリーダーシップ。そのいずれも持ち合わせていないデリーとジャックは「第三の犬」の像とはかけ離れているように思われる。

シロは目立たない存在だった。マイペース型。他の犬とトラブルは起こさない。一方で、他の犬同士の喧嘩に関心はなかった。自分は自分、他犬は他犬。タロ、ジロとの関係は良好だった。しかしそれは保護本能というより、友達感覚の行動だった。

リーダーシップはどうか。先導犬としての能力が開花して、シロは変わった。周りに目を配るようになった。他の犬の状態を気にかけるようになった。しかしそれは犬ゾリを曳いている時だけだった。

先導犬としてのリーダーシップは生まれつつあった。しかし、昭和基地で他の犬たちをまとめるような立場にはなかった。群れには、リーダーを頂点とする厳格なヒエラルキーがある。あいまいな関係は群れを崩壊させるからだ。その意味ではシロは若すぎた。そのために、保護本能は友達関係レベルにとどまり、リーダーシップも発展途上だった。

「有望にも思えたが、シロも除外しなければなりませんね。すると……」

「残っているのは、彼だけです」

スーパー・ドッグ

「さあ、最終整理をしましょう」

【食料の確保】

昭和基地には絶好の食料庫があった。海水浸入事件があった天然の冷凍庫だ。そこには犬にとってはご馳走の海水漬け肉が大量にある。

また、北村隊員たちは、基地から一〇〇キロ先に、コンビーフや乾燥ソーセージを山積みにした食料デポを作った。その近くには、干し肉のようになったクジラの残骸があった。

彼の記憶力であれば、天然の冷凍庫がどこにあったか、隊員たちがどうやって天然冷凍庫の中に入っていったか、といったことは覚えていただろう。食料デポ、クジラの残骸についても、同じようにしっかり覚えていたに違いない。

しかし一〇〇キロ先の食料デポ、クジラの残骸にありつくには、そこまで間違いなく到達できる方向感覚が必要になる。さらに、犬だけで行動できる能力も。

方向感覚だけなら、鋭い犬は結構いた。テツ、アカ、ベック、紋別（モンベツ）のクマ。シロもそうだ。

しかし、たった一頭で南極の雪原を行動し、自力で基地に生還したキャリアを持つのは、彼だけだった。単独行動の経験は、犬だけで移動する際の重要なポイントになる。

北村氏の証言によると、そのカラフト犬の行方不明事件が起きたのは、一九五七年八月。ユートレ島を中心とした初めての犬ゾリ探査のさなかだった。

一五日朝、彼はキャンプ地から姿を消していた。必死に探したが、どこにもいない。

「たった一頭で南極で迷ったら、長くは生きられないだろう」

北村氏も他の隊員も絶望的な気持ちだった。

ところが一六日夕方になって、彼は昭和基地に自力で戻って来た。おそらく何度も方向に迷い、ルートを修正しながら。

人間の指示なしでの単独行動は、もともと高かった彼の方向感覚に磨きをかけたに違いない。そんな彼ならば、一〇〇キロ先の第二、第三の食料基地など、自分の庭のようなものだろう。

【群れとリーダーシップ】

単独で雪原をさまよい、昭和基地に帰り着いた唯一の犬。この経験について、北村氏は方向感覚とは別の観点からも重視した。

つまり、こういうことだ。孤独な環境でさまよっている間、彼は恐怖に襲われることもあっただろう。たった一頭で基地に戻れるかどうか、不安もあったに違いない。

郷里・北海道には、飼い主家族という仲間がいた。昭和基地にはカラフト犬の仲間がいる。危険な単独行で彼が実感したのは、群れることの重要性だったのではないか。

――群れることは、安全なのだ。生存の可能性を高めるには、単独でいるより群れを作った方がよい。

第一次南極観測実施のために、カラフト犬たちは突然各家庭から引き離され、集団化させられ、南極で共同生活を強いられた。ある意味、無理やり群れを作らされた。人間がいるならば、群れのリーダーは人間だ。

しかし、人間が去ってしまったからには、新たに犬だけの群れを作らなければならない。自分のリーダーシップを発揮して。

鎖の束縛から逃れ、自由になった犬は八頭。ところが二グループに分化してしまった。

五頭は基地から逃げ出したいと考えた。リーダーだった人間がいなくなった基地に未練はない。それよりも郷里の北海道を目指そう、と。

ところがタロとジロは、基地から離れようとしない。幼い頃に南極に来た二頭にとって、昭和基地こそが郷里だったからだ。

彼は、考えただろう。クラックもクレバスもない昭和基地が、一番安全な場所なのだ。それは単独で南極をさまよった体験と、四度にわたる犬ゾリ探査で、脳に刻み込まれていた。しかも食料もある。基地を出るのはリスクが高い。経験を積んだベテランを含めた大きな群れをつくり、昭和基地に留まるのが彼の理想だったに違いない。だが、ベテラン組は基地を捨てるようだ。どうする？　逃走派の五頭のベテランと群れを作るか。残留派の若いタロ、ジロと群れを作るか。

生死を分けるかもしれない究極の選択。彼は、後者を選んだ。

北村氏は言う。

「彼はタロ、ジロに同情したから基地に残ったわけではない。もちろん保護本能はあったでしょう。しかし、それ以上のものが彼の決断を後押しした。ある意味、極めてシビアに。私はそう考えているんです」

「それは何でしょう？」

「生命体としての本能。つまり、群れとして、どちらが生き延びるチャンスが高いかという品定め。彼は後者が高いと見た。なぜなら……」

北村氏は、次のように分析した。

基地を逃げ出す選択をしたベテラン五頭の中には、戦闘能力が高い犬も、方向感覚が優れた犬もいた。個々の力量は高い。しかしチームワークはどうか。彼のもとで、秩序を守って行動するだろうか。

喧嘩癖が強い犬、わがままな犬もいる。場合によっては群れがばらばらになってしまう恐れだってある。群れたとしても、統率には苦労するだろう。

一方、タロとジロの二頭は、彼がリーダーシップを発揮すれば規律正しく従うはずだ。稚内の訓練所時代から目をかけてきたのだ。信頼も厚い。

彼が持っている方向感覚、危険察知能力、経験に裏打ちされた知恵と知識。これらの面ではナンバーワンの自負がある。ただ、老いが始まっていることに不安の影が差す。

タロとジロは経験も浅く、はっきり言って足手まといだ。しかし何といっても若い。越冬の一年間だけでも急速に成長した。これからさらに強くたくましくなっていく。

知恵と経験があるベテランと、戦闘力がある若い二頭。この三頭の組み合わせはバランスがいい。経験値が低い若い犬だけでは、想定外のことに対応できないだろう。それは場合によっては致命的になる。ベテラン犬ばかりの群れは衰退する。高齢化社会となってしまい、未来がない。適正な年齢構成の集団であれば、群れのパフォーマンスは高まる。

つまり、タロとジロが彼を頼ったように、彼もタロとジロが必要だったのだ。

彼は将来性が期待できるタロ、ジロとの共同戦線を張った。食料が豊富で安全な昭和基地を拠点にして。生き延びるために、彼は合理的な判断をしたのだ。

確かに、結果的には彼は力尽きた。しかし、群れとして考えれば、最終的に六六・七パーセントの生存率を達成した。数値的には、彼の判断は正しかったといえよう。

白っぽい中型の犬。

豊富な食料のありかを知っていた犬。

優れた方向感覚を持つ犬。

危険な単独行を経験したことで、群れる重要性を自覚した犬。

保護本能が強く、リーダーシップがある犬。

経験に裏付けられた知恵と洞察力を持った犬。

群れを守る本能に覚醒した犬。

そんなスーパー・ドッグは、一頭しかいない。

北村氏は、新たな証言と新たな記録で紡いだ、長い検証の旅を締めくくった。

「第三の犬は、リキです。リキ以外、あり得ない」


思えばそれは、三七年前に北村氏が直感的に立てた推論でもあった。しかしその段階では、まだおぼろげなものに過ぎず、合理的で説得力のあるものではなかった。

長い時を経て検証を再始動し、記憶の再生を進め、新資料の考察を深めた結果、ようやく確信の持てる結論に至った。絶対証明では、もちろんない。しかし、一年以上かけて科学的アプローチを試みた、一つの成果ではある。

「たどり着きましたね」

「はい。米寿(べいじゅ)のお祝いですかね」

ようやく手に入れた確信。八八歳になった超高層地球物理学者は、小さく微笑んだ。

昭和の奇跡を生んだ謎。それは平成を経て、令和の時代に解けた。


「私は先導犬」

第三次南極観測隊が到着する前に、リキは息絶えた。静かに、深い雪に埋もれた。

リキの死因として最も可能性があるのは寿命だ。

日本出航時、リキは南極を目指す犬の中で最高齢の六歳。置き去りにされた時点では七歳を超えていた。当時のカラフト犬の寿命が七〜八歳だったことを考えれば、リキには時間はあまり残されていなかった。老衰死と断定はできない。ただ、寿命が尽きつつあったことは間違いない。

死が近づいた時、リキは何を思っただろう。

故郷の旭川。ともに暮らした家族の笑顔。犬ゾリ訓練に明け暮れた稚内の訓練所。ボツンヌーテン探査のラストラン。先導犬の位置に立った歓喜。突然南極に置き去りにされた絶望。タロとジロを守り続けた日々……。

北村氏は、一年間にわたる証言で記憶が徐々に戻るにつれて、一つの考えが浮かんできたという。

なぜ彼はとことん昭和基地にこだわったのだろうか。食料があり、タロ、ジロが基地を離れようとしなかったから。もちろん、それはあるだろう。しかし、それだけではない。北村氏はそう思っている。

――彼が昭和基地に踏みとどまったのは、人間が戻って来るのを待っていたからではないのか？

犬には死の概念がないため、人を待ち続けることは苦痛ではないという説がある。

よく知られているのは、忠犬ハチ公の逸話だ。飼い主だった東京帝国大学の上野英三郎教授が死んだことを知らず、毎日、十年間も東京・渋谷駅前で主人の帰りを待ち続けた秋田犬。犬が飼い主を待ち続けるという事例は、世界各地にある。眉唾（まゆつば）ものもあるが、科学的な実験記録も多く残されている。

自分たちが基地を捨て、はるか離れた場所を根城（ねじろ）にしてしまえば、人間が基地に戻ってきた時に、人間と再会することはできない。だからこそ、基地にいなければならない。

彼は、そう考えたのではないか？

基地で、いつまでも人間を待ち続ける。それは忠犬ハチ公物語のような美談などではなく、もっとシビアな戦略だったのかもしれない。

基地に留まれば、人間に再会できる可能性がある。そうなれば群れは守られる。

そんな、生きる本能、リーダーとしての冷静な判断が、彼を基地に留めたということは考えられないだろうか。

第一次越冬隊の犬ゾリ隊は、一年間に一六〇〇キロを走破した。当時最新の雪上車が走破した距離よりも一〇〇キロ長かった。誰も予想していなかった成果。それは、人間とカラフト犬の絆が刻んだ、血と汗と信頼の数字だ。

リキは数字など知らない。しかし本能は覚えている。人間と力を合わせて、広大な南極を走り抜いたことを。その一体感は、無上の喜びだったことを。

カラフト犬だけでは、犬ゾリを走らせることはできない。人間が号令を出しても、信頼関係がなければカラフト犬は走らない。人と犬との気脈が通じてこそ、犬ゾリは正しく走るのだ。

リキは走った。リーダー犬として。先導犬として。

だからこそ昭和基地を動かず、じっと待ち続けたのだ。犬ゾリを操る、あの男が帰ってくる時を。


北村氏は小さく息を吐き、私を見つめた。そして言った。

「タロとジロに再会した、あの時……」

かすれるような声。顔がくしゃくしゃになった。

「リキは、すぐそばに埋もれていたんですね。待ち続けたのに――」

＊　＊　＊

昭和基地は静寂に包まれている。
もう、どれだけ時間が過ぎただろう。
――もうすぐ来るはずだ。きっと戻って来る。だが、なぜだろう。とても眠い。
リキの頭上に、雪がゆっくりと舞い降りる。
きれいに前足をそろえ、伏せの態勢のまま、リキはもう目を開けようとしない。
たくましく成長したタロとジロが、リキを挟むように座り込んでいる。
老いたリーダーが動かない。心配だ。二頭はリキの顔を、足を、懸命になめる。
純白の雪は、徐々にリキの体を隠していく。
タロとジロがリキに身を寄せる。タロとジロの熱く力強い生命力が、リキに流れ込む。
最後の力を得て、リキはゆっくりと目を開いた。
そこには、懐かしい顔がある。
手に持っているのは、犬ゾリ用の鞭。
そうだ、犬ゾリだ。
氷雪を蹴り、疾風のように駆ける犬ゾリ。
その先頭に立つのは、先導犬たる私。
――さあ、早く。命令を！
「リキ！　出発だ。トゥ（進め）！」

その号令を待っていた。ソリを曳くのだ。

――立ち上がらなければ。

私は先導犬。

かつて、ブリザードの中をさまよい、昭和基地に生還した、ただ一頭のカラフト犬。

年表

一九五六年（昭和三一年）
北村泰一／二五歳

・三月、北海道・稚内市にてカラフト犬の訓練開始。
・一一月八日、南極観測船「宗谷」、東京晴海ふ頭を出航。

・水俣病第一号患者を公式確認（五月）

一九五七年（昭和三二年）
北村泰一／二六歳

・二月一五日、宗谷、南極から離岸。第一次南極越冬開始。
・八月一二日―一五日、ユートレ島犬ゾリ探査。リキ行方不明事件。ベック病死。
・八月二八日―九月四日、カエル島犬ゾリ探査。比布のクマ行方不明。
・一〇月一六日―一一月一一日、ボツンヌーテン犬ゾリ探査。
・一一月二五日―一二月一〇日、プリンス・オラフ海岸犬ゾリ探査。テツ死亡。

・ソ連が人工衛星スプートニク一号の打ち上げに成功（一〇月）

一九五八年（昭和三三年）
北村泰一／二七歳

・二月一一日、第一次越冬隊の撤収完了。
・二月一四日、昭和基地に残っていた二次越冬の三名がメス犬シロ子と子犬を連れて宗谷に帰船。
・二月二四日、第二次越冬計画を放棄。オス犬一五頭は昭和基地に置き去りとなる。

・竣工した東京タワーの公開開始（一二月）

一九五九年(昭和三四年)
北村泰一/二八歳

・一月一四日、北村第三次越冬隊員、生き延びたタロとジロに再会。
・三月一六日、残る一三頭のうち、七頭の死亡、六頭の行方不明を確認し、カラフト犬の捜索作業を終了。死亡犬は水葬。

・皇太子明仁親王と正田美智子さんが結婚(四月)

一九六〇年(昭和三五年)
北村泰一/二九歳

・一〇月一〇日、第四次越冬隊の福島紳隊員が遭難。

・改定安保条約の批准を阻止しようと全学連が国会に突入(六月)

一九六八年(昭和四三年)
北村泰一/三七歳

・二月九日、福島隊員の遺体を第九次越冬隊員が発見。直後に、一次越冬隊撤収時に残置されたカラフト犬一頭の遺体発見。

・川端康成がノーベル文学賞受賞(一〇月)

一九八二年(昭和五七年)
北村泰一/五一歳

・春、北村氏、村越望隊員からカラフト犬遺体発見の事実を知らされる。

・日本航空三五〇便墜落事故(二月)

一九八三年(昭和五八年)
北村泰一/五二歳

・七月、映画『南極物語』公開。

・任天堂が「ファミリーコンピュータ」を発売(七月)

一九九四年(平成六年)
北村泰一/六三歳

・北村氏、チベットの高原で倒れ、「第三の犬」の検証中断。

・オウム真理教による松本サリン事件が発生(六月)

二〇一八年(平成三〇年)
北村泰一/八七歳

・春、北村氏、「第三の犬」の検証を再開。

あとがきにかえて

北村 泰一

今でも多くの方々が、南極といえば「タロ、ジロの奇跡」を思い浮かべてくださるかもしれない。南極観測の第一次越冬隊員として犬たちと深くかかわり、第三次越冬でタロ、ジロと再会した本人としては、とても嬉しく思う。その一方で、私はずっと気になっていたことがある。それは、タロ、ジロ以外のカラフト犬たちの運命である。

私は第一次越冬隊の犬係であった。一九五八年に昭和基地を撤収する際に、一五頭のカラフト犬を第二次越冬隊に引き継ぐのが最後の任務となった。第二次越冬隊はすでに南極地域に到着しており、一次越冬隊撤収後に基地に入る予定であった。一時的に基地は無人となる。「その間に、犬たちが逃げ出さないように対処せよ」という指示があり、犬係だった私は、犬たちの首輪を通常よりきつく締めた。

ところが思いがけないことに第二次越冬は放棄され、結果的に犬たちは基地に置き去りにされた。私は激しく後悔した。「あの時、首輪をきつく締めなければよかった」と。首輪が緩ければ、抜け出せる可能性もある。私は犬たちが生き残るチャンスを奪った。そう思うと、帰国後も心は晴れなかった。

悩んだあげく、私は決意した。

「犬たちは南極で息絶えている。自分が首輪を締めたせいだ。けじめをつけなければならない」

私なりのけじめ。それは、もう一度南極に行き、雪に埋もれた一五頭を見つけ、手厚く葬ってあげること以外にない。私は第三次越冬に志願した。

思いがけないことに、タロとジロは生きていた。しかし七頭は冷たい骸となっていた。暗鬱な彼岸の日、私は犬たちをオングルの海に葬った。涙すら出ない、極限の悲しみであった。首輪しか発見できなかった六頭は基地から逃走したと判断され、行方不明として処理された。

そのうち、私は本業の超高層地球物理の研究に追われ、南極にかかわることが少なくなっていった。ところがある日、私は驚愕の事実を知った。実は南極の昭和基地にはタロ、ジロ以外に「第三の犬」がいたという。しかし、その事実が分かってから一〇年以上が経過しており、「第三の犬」は歴史の中に埋没してしまっている――。

私は天命を感じた。「第三の犬」の正体を突き止めようと決意した。それが、南極観測のために命を落とした名もなき多くのカラフト犬たちを鎮魂することにつながると信じて。研究の合間に少しずつ情報を集めた。漠とした印象論を述べたことはあったが、それはとても科学的検証とは言えない水準だったし、世に知られたわけでもなかった。誰もが納得できるレベルを目指して推論を固めつつあった矢先、私は突然の病に倒れた。検証を進めることは不可能になった。苦汁の歳月は、あっという間に流れた。

二〇一八年になって突然動きがあった。協力者が現れたのだ。「第三の犬」に関する私の推論を固めるために、検証を再開することになった。そのためには第一次越冬、第三次越冬で起きたことを、可能な限り思い出さなくてはならない。しかし、正直なところ自信はなかった。六〇年も前の話だ。多くのことを思い出せなくなっていた。ところが、長期間にわたって証言を続けているうちに、私の脳内には不思議な現象が起こった。忘れ去っていたことが突然よみがえった。理路整然としてはいない。単発的だ。しかし、ばらばらの証言をつなぎ合わせていくと、一つの道筋が見え始めた。しかも、新たな記憶がよみがえってくる。パズルのピースのように、記憶の空白が一つ一つ埋まり、形になっていった。

今回私が監修した作品は、私が証言した記憶の内容を軸に、新たに入手できた公的資料などを検証した考察である。論文や報告書などではなく、一科学者による「一つの検証」であることを、ご理解いただければ幸いである。

私がこの作品を監修するにあたって筆者に託したことは、ただ一つ。それは、南極で活躍した犬はタロとジロだけではない。すべての犬たちが頑張り、死んでいった。そのことを多くの人に知ってもらいたいということだ。第一次越冬中に命を落としたベックとテツ。自ら昭和基地に決別した誇り高き比布のクマ。残置されたまま餓死した七頭。行方不明のままとなった五頭。生き延びたタロとジロ。そして第三の犬。

南極を駆け抜けた一八頭のカラフト犬すべてに平等に光を当てたい。それが私の気持ちである。

検証途中の二〇一八年一二月に、第一次越冬隊員だった作間敏夫さんの訃報に接した。一一人いた第一次越冬隊員の中で、私は最後の生き残りとなった。何としても、「第三の犬」をはじめ、名もなき勇敢な犬たちの物語を伝えたい。その一念で頑張ってきた。

作業に当たっては、国立極地研究所の全面的な協力を得ることできた。特に、わざわざ三度にわたって私を訪ねてくれた中村卓司所長には心から感謝したい。また、長年、喪失したと思っていた私が撮影した写真は、すべて極地研が保存してくれていることも今回初めて知った。というか、思い出した。感謝している。

米寿を迎えた私には二つの願いがある。一つは、極地研に行くことだ。六〇年の歳月を超えて、南極の空気が私を包んでくれるだろう。そこには懐かしい犬たちが行儀よく並んで待っているはずだ。

もう一つ。それは京都市に戻ること。そこには、科学者として終生のライバルであり、永遠の親友であり、日本の南極観測越冬隊で最初の犠牲者となった、故福島紳君が眠るお墓がある。そのお墓は、竹馬の友である僧侶大僧正の聖護院門跡門主、宮城泰年君がずっと守り続けてくれている。これも不思議な縁である。私の越冬隊員としての最後の証言をつづったこの本を、彼の墓前に供えたい。

著者あとがき

「タロとジロの奇跡」が全国に驚きと感動の渦を巻き起こしたのは一九五九年（昭和三四年）の一月です。新聞もラジオも連日のようにタロ、ジロに関する情報を流しました。それほど、衝撃的な「事件」だったのです。この年は大ニュースが多く、当時の皇太子明仁親王と正田美智子さんが結婚したことで「ミッチー・ブーム」が起きたり、東京が一九六四年の夏季オリンピック開催地に決定したり、巨人の長嶋茂雄選手が天覧試合で阪神の村山実投手から歴史的サヨナラ本塁打を放っています。そうした中でも、タロとジロが南極で生きていたというビッグニュースは、人々の心をつかんで離しませんでした。

学校では教師が、家では親が、「タロとジロは偉い」「タロ、ジロを見習って頑張れ」と言うのですが、こちらはまだ子供ですから、南極という場所のイメージすら湧かない。それでも「すごいことがあったんだ」という記憶は残りました。この物語は、親から子へ、子から孫へと語り継がれ、映画化もされましたので、日本人の多くがよく知っています。

私自身も、新聞記者になって以来「いつか、タロとジロにまつわる話を書きたい」と思っていました。まさか現実になるとは考えもしませんでしたが。

私に幸運が舞い込んだのは二〇一八年初春でした。まったくの偶然から、南極観測第一次越冬隊の犬係だった北村泰一氏が健在であることを知ったのです。二〇一八年は「タロ、ジロの奇跡」から六〇年目という節目。こんなチャンスはまたとありません。

「現場にこそ、真実がある」。駆け出し記者だった頃から、この取材の鉄則を先輩たちに叩き込まれました。真実を知っているのは現場にいた人だけです。犬たちを南極に残置し、一年後に再び越冬隊員となって犬たちの運命を知った人物。それは北村泰一氏ただ一人です。

どうしても話を聞きたい。なぜ犬たちを南極に置き去りにしたのか。どのような思いで第三次越冬隊に志願したのか。置き去りにされた他の犬たちはどうなったのか。タロ、ジロはなぜ生き延びることができたのか。何より、あの事件を北村氏自身はどう思っているのか。

長期間にわたる取材に応じてくれた北村氏は、極めて知的で物静かな人物でした。語られる言葉は、犬たちへの愛情、信頼、感謝に満ちていました。ご高齢なので肉体的にも大変だったと思いますが、いつもニコニコ笑って話をしてくださいました。はるか昔のことであるため、話は年代が行ったり来たりしましたが、内容は驚くほど具体的で緻密でした。それらを時系列で整理すると、南極で起きたことがリアルによみがえったのです。

私は当初、タロとジロを中心にした話を聞きたいと思っていたのですが、北村氏が「第三の犬」を切り出してからは、取材の方向、目的はまったく違うものになりました。一年半におよぶ証言の中には、「第三の犬」だけでなく、名もなき多くの犬たちの物語がありました。その内容は驚きに満ちており、最終的にこの本になったのです。

内容には触れませんが、本書は、第一次越冬隊最後の生存者となった北村泰一氏の証言と推論をもとに、公式資料、公的資料を照合して可能な限り事実関係を確認した上で構成した一つの物語です。六〇年以上も前に起きたことなので、未解明の部分があります。本書が世に出たことを契機に、今後もこのテーマを北村氏とともに追っていきたいと思っています。

執筆に際しては、多くの方の支援をいただきました。国立極地研究所から提供していただいた公式資料は正確を期す点で大変役に立ちました。北海道稚内市のまちづくり政策部地方創生課広報・広聴グループからはカラフト犬訓練にかかわる貴重な資料、写真の提供をいただきました。北海道庁、北海道新聞社読者センターおよび稚内支局、古巣の西日本新聞社からも、ありがたい協力をいただきました。

最後に、この本が生まれたきっかけを、ぜひ知っていただければと思います。私は一時期、旅行会社を経営しました。業界知識ゼロの素人社長です。困り切っていた時、以前ちょっと縁があった元大手航空会社幹部の寺崎富繁氏が助けてくれました。そして一緒に「旅みらい研究会」を創設しました。「人生を豊かにする旅とは何か」を考え、提案していくサークルです。このサークルに加わった一人が、旅行会社「蒼天旅行」の祝部（ほうり）智行社長でした。祝部社長は「北村泰一氏と行く南極ツアー」を何回も企画し、北村氏とは長い付き合いがあったのです。これが縁になりました。旅みらい研究会の存在、祝部社長の介添えがなければ、この本は生まれませんでした。人と人とのつながりが、偶然にも、歴史に埋没していた秘話を南極の氷雪から掘り起こしたのです。

令和二年一月

嘉悦 洋

付記

本書は、日本南極観測隊第一次越冬隊員の北村泰一氏の新証言をもとに、北村氏自身の推論を軸に組み立てて書き下ろしたものです。執筆にあたり、自らの取材メモの他に以下の文献を参考にしました。

【書籍】

- 『カラフト犬物語：南極第一次越冬隊と犬たち 生きていたタロとジロ』（北村泰一著、教育社）
- 『南極越冬隊タロジロの真実』（北村泰一著、小学館文庫）
- 『ニッポン南極観測隊 人間ドラマ50年』（小野延雄、柴田鉄治編、丸善）
- 『極 白瀬中尉南極探検記』（綱淵謙錠著、新潮文庫）
- 『アムンゼン 極地探検家の栄光と悲劇』（エドワール・カリック著、新関岳雄、松谷健二訳、白水社）
- 『南極点への道』（村山雅美著、朝日新聞社）
- 『スコット 南極の悲劇』（ピーター・ブレント著、高橋泰邦訳、草思社）
- 『犬の行動学』（エーベルハルト・トルムラー著、渡辺格訳、中央公論新社）
- 『犬の行動と心理』（平岩米吉著、築地書館）
- 『南極の食卓 越冬隊員の胃袋日記』（砂田正則著、淡交新社）
- 『色彩科学講座1 カラーサイエンス』（編集者：日本色彩学会・鈴木恒男編、朝倉書店）
- 『色彩科学選書1 色の科学 その心理と生理と物理』（金子隆芳著、朝倉書店）
- 『色の秘密 最新色彩学入門』（野村順一著、文藝春秋）

【資料】

- 南極観測第一次越冬隊記録

・南極地域観測隊報告（観測部門）昭和三二年四月五日、日本学術会議南極特別委員会
・南極地域観測隊報告（設営部門）1、昭和三二年四月五日、同
・南極地域観測隊設営関係資料（2）昭和三二年四月一五日、同
・南極地域観測隊食糧に関する報告（1）昭和三二年四月一五日、同
・同報告（2）同
・南極のための医学関係資料　その1　一九五八年八月一八日、同
・同　その2　同
・同　その3　同（越冬隊中野隊員の報告）、同
・第一次越冬隊　各部門越冬報告概要　一九五八年三月七日作成、三月二六日報告、同
・南極地域予備観測隊が携行した食糧品明細書、昭和三二年四月一日　同
・南極観測第三次越冬隊報告（一九六〇年三月二〇日付　南極特別委員会　日本学術会議）
・第八次南極地域観測隊　越冬隊報告　一九六七―一九六八
・第九次南極地域観測隊（夏隊）報告　一九六七―一九六八
・日本南極地域観測隊　第九次越冬隊報告　一九六八―一九六九
・QUARANTINE CERTIFICATE FOR DOG（犬用検疫証明書）一九五六年一〇月三〇日

上梓につき、国立極地研究所所長の中村卓司氏、アーカイブ室の野元堀隆氏、大坂亜紀子氏、広報室の小濱広美氏、国立極地研究所・立正大学名誉教授の吉田栄夫氏、北海道庁、稚内市、北海道新聞社、北海道新聞社稚内支局、西日本新聞社、九州大学、同志社大学、その他多くの関係者の方々にご協力をいただきました。皆様のご厚意に深謝いたします。

写真・資料提供　国立極地研究所
地図提供　小学館
（小学館文庫『南極越冬隊 タロジロの真実』より、タナカデザイン製作）
ブックデザイン　鈴木成一デザイン室
組版　朝日メディアインターナショナル
校正　聚珍社
編集　澤田美里

嘉悦 洋（かえつ・ひろし）
一九七五年、早稲田大学政治経済学部経済学科卒。同年、西日本新聞社編集局に記者として入社。本社社会部にて科学・医療分野を担当した後、東京支社の政治担当として首相官邸キャップ、政治デスク、続いて文化担当デスクを務める。二〇〇一年に西日本新聞社IT戦略責任者、二〇〇五年に新聞社傘下のIT専門会社「メディアプラネット」（現・西日本新聞メディアラボ）の代表取締役社長に就任。西日本新聞旅行代表取締役社長を経て、現在は執筆、講演の日々。

北村泰一（きたむら・たいいち）
一九三一年、京都市生まれ。一九五四年、京都大学理学部地球物理学科を卒業し、一九五七年の日本南極観測隊第一次越冬隊、一九五九年の第三次越冬隊に参加。以降、同志社大学工学部講師、ブリティッシュコロンビア大学客員助教授、九州大学理学部教授等を務め、アラスカ、カナダ北極圏、中国などへも学術調査に赴く。一九九五年より九州大学名誉教授。

その犬の名を誰も知らない
二〇二〇年二月二〇日 初版第一刷発行
二〇二〇年九月一二日 初版第五刷発行

著者 嘉悦 洋
監修 北村泰一
発行者 神宮字 真
発行所 株式会社 小学館集英社プロダクション
東京都千代田区神田神保町2-30 昭和ビル
［編集］〇三-三五一五-六八二三
［販売］〇三-三五一五-六九〇一
印刷・製本 大日本印刷株式会社

Printed in Japan ISBN978-4-7968-7792-3